불굴의 의지로 이룬 다이아몬드 드림

문제는 마음의 근력이다

이 숭규 지음

부크크

목 차

PART 01 똥스펙, 나의 취업 필살기

PART 02 변곡점의 약한 신호등에서 기회를 잡자

PART 03 다이아몬드는 탄생의 고통이다

PART 04 불리한 환경이 준 인생 선물

정말 좋은 스펙만이 최고의 기업에 합격할까?

살아가는 삶의 방식은 크게 1인 창업, 프리랜서 또는 기업에 취업하는 3가지 방식이 아닐까? 어쩔 수 없다면 가장 낮은 곳에 취업하는 것도 필요하다. 지금 당신이 가장 낮고 작은 곳에 있다면 가장 높고 멀리 갈 수 있는 출발점에 서 있는 것이다.

나는 대학을 졸업하고 불리한 스펙으로 대기업 취업 서류 전형조차 불가능했다. 시골에서 농사를 지으시며 4남매 학자금을 마련하시느라 고생하신 부모님을 편하게 모셔야지 하는 마음이 급급했다. 간절하면 막힌 문이 열린다. 다행히 영어를 전공하여 하얏트호텔에서 첫 직장인의 길을 걸었다.

"큰딸은 아무 곳에도 취업이 불가하여 결국 아르바이트로 힘겨운 시작을 택했다."

4차 산업혁명 시대를 맞이서 다양한 분야에서 새로운 형태의 직업이 생기고 있다. 하지만 대다수는 대학을 졸업하고 취업을 좋은 기업에 들어가는 것을 목표로 꿈꾸고 있다. 처음부터 좋은 스펙으로 좋은 기업에 들어가면 좋겠지만 그렇지 않아도 걱정할 필요가 없다. 일단 직장에 들어가서 한 단계씩 성장하면 된다.

2024년 1월 19일 IT 조선(이 선율 기자)의 보도를 보면 대한민국 직장인 10명 중에 9명(약 94.9%)은 현재 자신의 커리어를 어떻게 쌓을지 고민한다고 했다. 또 그 절반 이상은 어떤 것이 나에게 맞는 것인지 조언을 구할 상담자가 없어서 힘들어한다는 것이다.

한꺼번에 많은 채용을 하는 대기업은 순혈주의 방식이다. 그런데 글로벌 기업은 수시 채용이고 영어가 우선이며 채용 분야에 적합성이 우선이다. 특히 글로벌 기업 헤드헌터나 해당 기업과 연관이 있는 사람을 통해서 채용 정보를 얻을 수 있다.

나는 우연히 호텔과 연관이 있는 모 여행사 지인으로부터 채용 정보를 얻었다. 큰딸의 아르바이트 취업은 명품 브랜드에 근무하는 분을 통해서 얻었다. 기업에서 아르바이트는 채용하는데 까다로운 규정이 많지 않다.

대다수 구직활동을 하려는 사람들은 SKY 출신을 제외하면 대기업에서 인정받지 못하는 평범한 학점, 어정쩡한 7-8백 대의 토익 점수가 전부인 스펙이다. 코로나 19 이후 취업의 문이 좁아진 냉엄한 취업의 현실에서 좌절의 벽을 만나게 된다.

나와 큰딸의 경우처럼 직장인의 길을 선택한다면 첫 취업 결정은 어찌 보면 삶에서 절반의 성공이다. 어느 기업 어느 직급으로 취업하든지 작은 경험을 쌓으면 이직을 통해서 훗날 내가 최고의 위치에 우뚝 설 수 있다.

지나온 굴곡의 시간을 되돌아본다. 꿈은 내가 원하는 곳에서 이루어지면 좋겠지만 내가 원하지 않은 곳에서 이루어지는 경우가 있었다. 막상 내가 꿈을 품고 원해서 들어간 기업에서 나의 적성과 안 맞는 상황이 오면 새로운 이직을 통해 나에게 맞는 직장을 선택하면 된다.

이 책은 꿈을 향한 자기발견, 성공, 시련과 극복 등 6개 분야 36개 주제로 구성되어 있다.
Part 1의 핵심적인 메시지는 '취업은 힘들지만, 반드시 나에게 맞는 취업의 길이 있다'라는 것이다. 처음부터 좋은 기업에 가면 좋은 일이다. 하지만 그렇지 않아도 좌절할 필요가 없다. 갈수록 취업의 문은 더 열릴 것이다. 그래서 직장인의 길은 좀 멀리 보면서 계획을 하면 좋겠다. 나와 큰딸의 경우처럼 당장 대기업에 취업이 안 되어도 차선으로 최선을 만드는 취업 전략의 비결이다.

Part 2에서는 타고나 운명에 너무 집착하지 말자는 것이다. 취업 실패로 무너진 인생을 다시 되살릴 수 있는 저와 큰딸의 대기업 취업 실패 후 작은 경험을 하면서 경험을 쌓고 대기업을 넘어 세계 최고에 간 온몸으로 부닥친 실제 사례를 제시한다.

Part 3에서는 가장 나약한 탄소가 최악의 상황 고온고압에서 가장 강한 다이아몬드가 되는 자연의 신비함을 예시로 들어서 힘들 북돋아 준다. 초라한 원석이 아름다운 다이아몬드로 탄생하는 힘겨운 연마 과정을 통한 불리한 환경은 명품으로 가는 원천이라는 것을 역설적으로 제시한다.

Part 4에는 취업의 문은 나를 내리면 늘 열려있다는 것이다. 글로벌 기업은 수시 채용이고 헤드헌터에 자의 이력서를 등록하여 취업의 정보를 수시로 체크하면 내가 갈 수 있는 정보를 구할 수 있다. 저와 딸도 대기업 취업 탈락 후 차선으로 취업은 지인으로부터 취업 정보를 구한 것이다.

Part 5에서는 '인생의 벽은 그 앞에 멈추는 것이 아니다'라는 것이다. 내가 실력을 쌓고 때를 기다리며 기회가 오면 그 기회를 부여잡는 준비된 자가 되자는 것이다.

마지막으로 Part 6에서는 너무 조급하지 말자는 것이다. 지나온 길을 되돌아보니 조금 늦은 것은 멀리 보면 아무것도 아니라는 것이다. 속도가 아니라 올바른 방향 설정이다. 나를 다시 일으켜 세우기 위해 필요한 것은 나만의 인생 시나리오를 쓰는 것이다.

디지털 시대에 온라인에서 디지털 노마드 같은 새로운 직업이 생겨나면서 어떤 것이 나에게 맞는 직업일까 고민할 수 있다. 32년 직장인의 길을 마친 나와 큰딸의 경험을 바탕으로 '취업'과 '이직'을 다룬 이 책이 취준생이나 직장인의 길을 걷는 분들에게 자신의 가치를 높일 수 있는 길잡이가 되길 바란다.

갈수록 급변하는 시대에 자신의 꿈과 미래의 성공을 향해 자신감을 갖고 나아가길 응원한다. 직장인의 길에 반드시 최고의 변화가 반드시 올 것이다.

PART 01

똥스펙, 나의 취업 필살기

01 체면을 버리고 미래를 선택하다

요즈음 온라인 세상에서 시간과 공간에서 자유로운 '디지털 노마드'나 '일과 삶의 균형'을 의미하는 '워라밸'을 선호하는 추세이다. 코로나 19 이후에 우리 삶에 패턴이 온택트 시대의 변화에 따라 '뉴노멀(New Normal)'이 새롭게 부상을 하고 있다, 하지만 대학을 졸업하면 대다수는 안정적이고 나의 존재를 인정해 주는 대기업이나 명품 브랜드에서 일하기를 원한다.

대학 졸업 후 좋은 직장에 들어가는 것은 꿈과 소망이다.

나는 대학을 졸업하고 갈망했던 대기업 취업 서류 전형조차 불가능하여 잠시 좌절했던 적이 있었다. 큰딸 또한 마찬가지였다. 불리한 스펙에게 대기업 취업은 '넘사벽'이지만 징검다리 전략으로 대기업에 갈 수 있는 디딤돌이 있다.

뉴스토마토(2024년 2월 28일)의 제2의 "삼성 절실... 대기업 일자리 더 필요하다"라는 보도가 있다. 고영선 한국개발연구원(KDI) 선임연구위원은 27일 KDI 포커스 '더 많은 일자리가 필요하다' 보고서를 통해서 '사업체 규모별로 파악할 때 우리나라는 대규모 사업체의 일자리 비중이 경제협력개발기구(OECD)에서 가장 낮은 국가'라고 발표했다.

사업체 규모에 따라 근로조건, 임금 등에서 차이가 컸다. 임금 격차를 보면 2022년 5~9인 사업체의 임금은 300인 이상 사업체의 절반 수준인 54%에 불과했다. 출산 전후 휴가와 육아 휴직 사례를 보면 10~29인 사업체의 경우 '출산 전후 휴가 제도가 필요한 사람 중 일부 또는 전부가 사용하지 못한다.'라고 응답한 비율이 23%를 기록했다.

특히 대다수 청년은 중소기업을 기피하는 것으로 파악됐다. 최근 상공회의소(2023) 설문 조사 결과를 보면 대학생이 취업을 원하는 기업 중 중소기업은 16%에 머물렀다. 반면 대기업은 64%, 공공부문은 44%를 차지했다.

대학 졸업 후 좋은 기업에 취업을 목표로 하지만, 합격의 기회는 제한적이다. 나의 상황에 맞게 설정하는 것이 우선이다. 아르바이트 같은 계약직으로 근무를 하면서 정규직 전환의 기회를 만들

면 된다. 나와 큰딸은 불리한 스펙으로 대기업 취업 서류 탈락에
서부터 뼈저린 아픔을 경험했다. 취업은 본인의 전공과 적성을 어
느 정도 고려하여 일단 취업을 권하고 싶다. 직장인의 길은 학교
의 성적과 전혀 무관한 새로운 출발선이다. 계약직으로 시작을 해
도 단계적으로 작은 경험을 쌓으면 된다. 내부적으로 능력을 인정
받아 징검다리 이직을 통해서 대기업에 갈 수 있는 절호의 기회를
잡을 수 있다.

"꿈의 직장, 고액 연봉, 대기업!
처음부터 대기업에 꼭 들어가지 않아도 괜찮다."

나는 대학 졸업 후 수시 채용 정보를 얻어서 하얏트호텔 프런트
데스크 담당으로 들어갔다. 호텔맨의 꿈을 꾸며 야간에 세종대학
교 호텔경영 대학원에 들어갔다. 하지만 3년이 돼가면서 이상하리
만치 내 가슴이 뛰지 않았다. 정확한 이유는 알 수 없었다. 막연한
무기력감이 왔다. 하지만 가족을 먹여 살리느라 그만둘 수는 없었
다. '간절하면 하늘이 돕는다.'라고 한다. 마침 롯데 월드 프로젝트
에 경력직 채용에 응모했는데 대학 시절 간절히 원하던 대기업 롯
데면세점에 당당히 합격했다.

딸은 대학 졸업 후 처음부터 취업이 안 되어서 당시에 아빠인 나
의 마음이 너무 아프고 먹먹했다. 하지만 명품 브랜드는 영어를
구사할 정도의 실력이 되면 취업을 할 수 있다. 그래서 딸에게 취
업이 안 되어 집에서 노는 것보다 당장 취업을 하며 경력을 쌓는
것이 좋다는 상황설명을 했다. 그리고 바로 명품 F 브랜드에 아르
바이트로 시작을 결정했다. 딸은 작은 경험을 쌓으면서 정확한 목
표를 갖고 반드시 해내겠다는 2단계 전략을 갖고 악착같이 노력을
했다.

"작은 점이 모이면 선이 된다. 작은 하루가 모여져서 365일의
커다란 1년이 되는 것이다. 작지만 큰 돌파구는 시간의 변화 속에
서 이루어진다."

세상의 이치나 인생의 여정이나 작은 것이 모여서 큰 것이 된다.
'아무리 큰일도 작은 일부터 해내면 가능하다'는 것이다. 작은 것
이 모여서 시간이 지남에 따라 걸림돌을 허물 수 있는 큰 돌파구
를 만든다. 우리도 하루하루 작은 경험을 통해서 성공이라는 목표
를 향해 나가는 데 자신감을 갖게 된다. 그러면 시간이 지남에 따
라 내가 다시 성장할 기회와 보상이 주어진다. 얼마간은 성장하는

것이 느껴지지 않을 수 있다. 맨눈으로 보이지 않는 미시적인 분자들이 모여 천둥과 번개를 만드는 원리이다. 저와 여러분이 가만히 과거를 되돌아보자. 작은 하루가 모여서 불리한 나의 스펙을 보상해주고 새로운 도약의 큰 기회까지 열어주기도 하는 것을 경험할 것이다.

직장에서 처음에 신입 사원으로 들어가면 수많은 교육을 받아도 내가 성장하는 것 같지 않고 경험도 쌓이지 않는 것처럼 느껴진다. 하지만
내가 기업의 최고가 될 수 있다고 느낄 것이다. 하지만 수많은 시간이 흘러서 단 단계씩 도약을 하면 언젠가 나도 모르게 작지만 큰 돌파구가 되어 내가 우뚝 서게 되는 날이 온다.

자 여러분 내가 꼭 처음부터 내가 원하는 곳에 들어가지 못해도 체면을 버리고 낮은 곳에서 미래를 선택하면 차선책이 최선책이 된다. 아르바이트생으로 경험을 쌓아서 이직을 통해서 나의 가치를 높일 기회를 만들자. 삭은 습관에 숨겨진 비밀을 해독하고 부족함을 채우는 노력을 끝없이 하자. 그러면 취업과 이직의 문은 새로운 기회의 문이 된다.

02 찬란한 보석도 처음엔 초라한 원석이었을 뿐!

세상에서 여성을 유혹하는 것들이 참 많다. 그중에서 보석은 가장 작은 단위로 가장 비싼 제품이고 여성들이 가장 갖고 싶어 하는 것 중의 하나이다. 땅속에서 캐낸 볼품없는 원석이 다이아몬드로 만들어지는 과정은 크게 4가지 힘겨운 과정을 지나야 한다.

가장 나약한 '탄소'가 땅속 150km 부근에서 고온고압의 상태에서 가장 강한 다이아몬드 원석이 된다.

첫째, 플래닝 단계로 원석을 어떻게 자를지 계획을 세운다. 쉽게 말하면 양복점에서 재단사가 양복을 어떻게 재단할지 분필로 표시하는 것과 유사하다. 여기서 다이아몬드 원석을 가장 가치가 나가도록 효율적으로 연마를 설계한다.

둘째, 클리빙 단계로 원석의 원자 구조의 형태를 보아 쪼개는 과정이다. 마치 나무를 자르듯 원석을 쪼갠다. 신비하게도 가장 강한 다이아몬드도 탄소 간의 원자 간격이 넓어서 원자의 수가 적게 분포된 약한 부분이 있다. 이곳에 망치로 강한 충격을 주면 평행으로 원석이 쪼개진다.

셋째, 소잉 단계는 나무를 톱으로 자르는 것과 같다. 가장 강한 다이아몬드를 자를 수 있는 것은 오직 다이아몬드. 톱날 끝에 다이아몬드 분말 가루를 입혀서 자른다.

넷째, 폴리싱 단계는 드디어 다이아몬드가 58면체로 완성된 아름다운 나석인 상태이다. 이 나석을 귀금속으로 세팅해야 비로소 착용이 가능하다.

나는 90년 미국보석학회에서 보석감정사 자격증을 획득하며 보석을 배우면서 보석 탄생의 신비함을 발견했다. 채굴된 다이아몬드 원석을 보면 정말 돌덩어리에 불과하고 전혀 쓸모없는 것처럼 보인다. 이와 같은 4단계의 과정을 거치면서 연마가 되면 정말 불꽃같은 섬광을 보이며 가장 아름다운 빛을 발한다. 취업도 이와 같은 힘겨운 성장 로드맵을 만들며 이직을 통해서 언젠가는 내가 간절히 원하던 그 지점에 도착할 것이다.

나는 대기업 임원, 글로벌 기업 대표와 중견 면세점 부사장 시절에 아르바이트생들과 함께 근무한 경험 많다. 그들의 이력서를 보거나 스펙을 보면 소위 잘 나가는 대학생들과 비교하면 능력 면에서는 큰 차이가 없다.

"낮은 직급으로 취업을 하면 다시 새로운 출발을 하는 것!"

"김연아 선수의 성공 비결은 바로 끝없는 훈련이다. 그녀는 연간 300일 훈련을 하면서 9000번의 점프를 한다. 그런데 성공 확률은 80%다. 그러므로 약 1880번의 엉덩방아를 찧는다." 이런 끈질긴 훈련이 세계 정상 선수가 되는 원천이다.

큰딸은 대학 졸업 당시에 소위 말하는 일류 대학을 졸업한 고등학교 친구들은 처음부터 대기업에 들어갔다. 딸은 친구들이 부럽고 자신은 초라한 존재로 보였을 것이다. 더구나 정직원도 아니고 아르바이트로 시작을 했으니 본인의 마음은 어땠을까?

큰딸은 힘겨운 아르바이트를 지나서 인턴 1년을 치열하게 보내고 업무 전반에 대하여 상당한 지식과 경험을 얻었다. 이제 어느 곳이라도 갈 수 있는 자신감을 느끼게 되었다. 이후 명품 P 브랜드에 정직원으로 이직을 했다.

'진인사대천명'이라고 했던가?

결국, 큰딸은 대학 졸업 후 갈망하던 대기업 신세계 그룹 계열사에 경력직으로 들어갔다. 그리고 다시 세계 1등 잡화 브랜드 루이비통에 정직원이 되었다.

사람이 자신의 최선을 다하면 하늘의 명을 기다리는 순간은 결과에 상관없이 과정 자체에 스스로 당당하고 웃을 수 있는 시간이 다가온다. 가장 낮은 직급에서 가장 높이 올라가면서 그간의 서러움을 이겨냈다.

물론 기업으로서는 스펙을 갖춘 인재를 찾는 일은 대기업 간에 치열한 경쟁 우위를 위해서 당연한 일이다. 나는 그간 직장인의 길에 좋은 대학 출신들과 일을 많이 했다. 사실, 그들이 잘하는 부분은 분명히 있다. 기업이 좋은 스펙을 찾는 이유는 그 요건이 바로 성과로 연결이 되는 것을 가정하고 있기 때문이다.

나는 대기업 임원과 글로벌 기업 한국 대표 시절에 많은 신입 사원과 경력직 면접을 하면서 다양한 종류의 이력서를 보았다. 기업에서는 좋은 요건을 갖춘 사람을 채용하기 쉽고 다양한 스펙 가진 사람은 많다. 그만큼 많은 청년이 좋고 다양한 스펙을 갖추기 위해 노력을 한다. 그러나 제대로 된 인성과 태도를 가진 사람은 좀처럼 찾기 쉽지 않다.

"좋은 스펙이 아니어도 좋은 품성은 경쟁력이 되는 무기!"

내가 스펙을 갖추지 못하면 나의 능력을 보여줄 수 있는 길은 한 가지뿐이다. 예의와 좋은 심성으로 지혜로운 태도를 견지하면서 나의 실력과 성과를 보여줄 수 있는 틈새를 노리는 것이다. 모든 인생은 우습지 않다. 가장 나약한 탄소가 다이아몬드 원석이 되듯이 내가 끝없는 노력을 해야 한다.

이 글을 쓰면서 나는 지금도 딸이 대학 졸업 후 취업이 안 되어 좌절했지만 어려움을 잘 견뎌준 것이 자랑스럽게 느껴진다.

03 자발적 창의적인 DNA를 꺼내라

스티브 잡스의 "창조 카리스마" 책 중에 '사람이 가진 여섯 가지 창조적 DNA'에 대한 소개가 있다. 논리지능, 감성지능, 언어지능. 아이디어지능, 운동지능, 음악지능이다. 비슷한 제품을 대량 생산할 때는 사원들의 논리 지능만을 이용해도 별문제가 없다. 하지만 변화가 빠르고 다양한 상품과 서비스를 원하는 요즘과 같은 환경에서는 다른 지능도 충분히 이용해야 한다는 것이다. 이는 차별적 가치의 제품과 서비스를 만들어 낼 수 있을 뿐만 아니라 개인의 능력 개발에도 도움이 된다. 그 중 아이디어지능은 업종과 관련 없이 누구나 활용할 수 있는 능력이라고 한다.

큰딸이 힘겨운 첫 직장인의 길을 더구나 아르바이트라는 직급으로 사회생활을 하니 마음이 짠했다. 사실, 나는 딸이 취업이 안 되어서 아르바이트로 시작을 해보자고 할 때는 내심 걱정을 했다. 왜냐하면 딸의 마음에 자존감을 떨어뜨릴 수 있지 않나 내심 고민을 했다. 하지만 딸은 흔쾌히 기쁘게 받아 주어 아르비이트생으로 취업이 되어서 마음이 한결 가벼워졌다. 지금 이 글을 쓰면서 처음부터 정식 취업이 안 된다고 좌절할 필요가 없다는 것을 알리고 싶다.

딸은 스티브 잡스의 여섯 가지 DNA 중에서 작은 아이디어지능을 활용했다. 상사가 복사를 해오라고 시키면 단순 복사 업무만 한 것이 아니다. 스스로 창의적인 아이디어를 내서 상사에게 같은 허드렛일을 하면서도 시키는 대로 한 것이 아니라 처음부터 끝까지 복사본을 다시 하나씩 전부 잘못된 부분을 체크했다. 그래서 상사가 다시 점검하는 번거로움을 줄여주는 역할을 했다.

"느려도 좋다. 속도보다 올바른 방향 설정이 우선!'

나는 고등학교 시험 탈락부터 대학 시험과 대기업 취업 탈락 등 모든 것이 느린 것 같았다. 대학 시절에도 서울역에서 버스를 타고 남가좌동에 있는 명지대학을 가려면 항상 연세대학교를 지나갔다. 연세대 앞에서 내리는 학생들을 볼 때 내심 부러웠다. 하지만 그 순간 나는 '내 안에 힘겨운 나를 사랑하고 힘을 내렴'하고 북돋아 주었다. 느려도 올바른 방향이 더 중요하기 때문이다.

내가 직장인의 길을 걸으면서 스스로 창의적인 DNA가 필요한 경험을 많이 했다. 무슨 일이든지 문제의식을 느끼고 일하는 사람과 그렇지 않은 사람과 시간이 지나면 업무 성과에 큰 차이를 보이게 된다. 지금은 공공기관에서는 감사라는 부서가 있겠지만 일반 기업에서는 감사라는 단어 대신에 '업무 개선'이라는 쪽으로 무게를 싣고 있다. 나는 롯데면세점에서 항암 치료를 하고 복직을 하면서 감사 팀장을 한 적이 있다. 이 감사라는 것은 엄밀히 말하면 '업무 개선'이다. 그래서 자칫 감사라는 것에 부정적인 시각을 갖게 된다.

당시에 함께 일하던 동료는 이 창의적인 발상이 좀 아쉬운 점이 많았다. 회사의 업무 개선을 위하여 필요한 부서를 선정하여 개선점을 파악하라고 지시를 하곤 했다. 해당 부서 직원들의 개선에 대한 아이디어를 끌어내야 불필요함을 줄이고 새로운 업무 활성화를 만들 수 있다. 그런데 이 직원은 감사라는 의식으로 똘똘 뭉쳐서 일하다 보니 내가 다시 직접 이중 체크를 하는 비생산적인 경우를 초래했다.

"창의적인 아이디어의 생성과 사용"

'생활 속의 심리학'에 유추와 탈피를 가능하게 하는 습관과 환경에서 창의성에 관한 내용이다. 창의적인 아이디어의 생성과 사용에 대한 글을 보면 인간의 창의성에 대한 많은 연구자가 창의적인 사람들의 특성에 관해서 이야기한다. 유창성, 독창성, 정교성, 민감성 등이 주요 요인이라고 주장된다. 확산적 사고(Divergent thinking)와 같은 능력이 핵심 요소라고 많이 알려져 있기도 하다, 그러나 이런 요인들은 대부분 '결과'에 해당한다. 수많은 자기계발서에서는 이렇게 이야기한다. 독창적인 것을 생각해 내기 위해서는 풍부하게 생각하고, 새로운 조합을 만들고, 상황의 이면을 들여다보라고 강조한다.

"은유와 연습을 위한 독서"에서는 '창의성이란 무엇인가'에 대하여 첫째, 유추에 대한 훈련이며 이는 다양한 은유를 경험하는 것으로 그 기초체력이 길러진다. 둘째, '기존의 그것에서 벗어나기 위한 마음 가짐과 이를 위한 환경'이라고 한다. 마지막으로 '빠른 해답 찾기, 즉, 속도에 대한 강박관념'을 버려야 한다고 제시한다. 그렇다면 창의성을 갖기 위해서는 가장 중요한 것이 지극히 간단하지만 바로 '독서'를 해야 한다는 것이다. 지식의 축적이라는 것은 상식적인 목적보다 훨씬 더 중요한 사고능력을 위한 기초가 바로 독서라는 과정을 통해 길러진다고 강조한다.

AI 등장 이후 바둑과 체스는 정반대의 길을 걷고 있다고 동아일보 위클리 리포트(2024년 4월 20일)가 보도했다. '아재(아저씨)' 바둑은 인기가 하락하고 체스는 젊은 게임으로 변신하여 인기를 높이고 있다고 한다. AI의 등장이 바둑계의 쇠퇴를 가속화 하기도 했다. '어차피 인간의 댁구은 AI보다 몇 수 아래다'라는 생각 탓에 바둑인들이 흥미를 잃고 떠난다는 것이다. 바둑이 '아재(아저씨)' 취미인 바둑과 등산, 골프, 낚시 중에서 유일하게 젊은 층 인기를 되찾지 못한 건 여려운 규칙 등 높은 진입 장벽이 아니라 쇄신 노력이 부족했다는 것이다.

대기업은 여러 부문이 있고 부문에는 여러 팀이 있다. 그래서 늘 이동하는 것에서 새로운 작은 경험을 한다. 하지만 임원이 되면 큰 경험을 하고 일반 직원 시절의 업무보다 철저한 독창성을 오하게 된다.

나는 롯데면세점에서 25년 만에 마케팅 임원이 되기까지 영업과 MD 등을 했다. 마케팅은 그간 나의 업무와 무관한 분야이다. 새로운 분야를 기본부터 배우기 위해 바로 서점에 가서 마케팅에 관한 책을 여러 권 구입했다. 모든 것은 창의적인 아이디어가 필요하지만, 마케팅은 유독 창의성과 매우 연관이 깊다고 생각했다. 상식적인 마케팅이 아닌 마케팅의 기본적인 것을 알아야 고객을 감동하게 하는 창의적인 공식이 나온다. 이후에 마케팅에 대한 새로운 발상으로 직원들과 협의하여 여름 휴가 시절에 '50억을 쏜다'라는 새로운 마케팅 전략을 수립한 적이 있다.

그간 32년 직장인의 길에 솔선수범하는 창의적인 직원과 지시하는 일만 하는 직원들을 많이 보아왔다. 나 자신 또한 나의 상사가 보면 그럴 수 있다고 생각한다. 그래서 기업에 들어가서 일을 하면 스스로 내가 맡은 업무에 대하여 창의적인 발상을 갖고 일을 하는 습관을 가지면 좋겠다.

04 인성이 만들어 내는 '곱셈' 효과

누구나 살아가면서 행복과 성공에 대하여 다양한 방법으로 생각하고 고민하는 시기가 있다. 사람의 상황에 따라 삶의 방식에 따라 행복과 성공의 기준이 다르겠지만 내가 하는 일을 잘하고 인정받고 싶어서 열심히 노력을 하는 것은 모두가 같은 생각이다. 그러다보니 일이 잘 안 풀리면 스트레스를 받고 지치게 된다.

골프를 칠 때 하는 말이 있다. '힘을 빼라'는 말을 수없이 듣는다. 힘을 주고 치면 여지없이 내가 원하던 방향으로 가는 것이 아니다. 이처럼 살아가면서 또는 직장에서 힘을 좀 빼기도 하고 여유를 가지면 좋지만 더 잘하고 싶은 마음이 더해지다 보면 오히려 부자연스런 일이 나오게 된다.

"행복은 덧셈이 아니라 뺄셈이야. 완전해질 때까지 불행의 가능성을 없애가는 거."

정유정 작가의 "완전한 행복'에서 여주인공이 남편에게 하는 말이다. 우리는 일상 늘 무언가를 더하기 위해서 열심히 살아간다. 어제보다 오늘 더 나아지기 위해 다양한 노력을 한다.

자산을 늘리기 위해, 능력을 갖기 위해, 자녀를 좋은 대학에 보내기 위해, 주식이나 부동산을 통해 수입을 늘리기 위해, 교수가 되기 위해, 직장인이라면 대기업 임원이 되기 위해, 좋은 학위를 갖기 위해, 좋은 인간 관계를 갖기 위해서 등등 참 다양한 생각을 하고 노력을 한다.

이 모든 것이 행복과 성공을 위한 '덧셈'의 방식으로 살아간다.

하지만 이 덧셈의 삶이 끝이 없다는 사실을 느끼고 있다. 왜 끝이 나지 않는 걸까? 하는 의문이 계속 든다. 내가 자꾸 가져도 그 위애는 또 무언가가 존재하기 마련이다. 덧셈의 사고 방식으로 살다보면 항상 욕망은 채워지지 않는 것이다.

특히 요즘처럼 갈수록 경제 상황이 어려워지다 보니 대다수 사람은 '인생이 재미없다, 내일도 좋아질 리 없다'라는 푸념을 하곤 한다. 언론 뉴스거리를 보아도 부정적인 보도가 더 많아지는 것 같다.

누구나 유리한 고지에 올라가기 위해 덧셈하려는 것은 당연하다.

경제학 개념인 "한계효용체감의 법칙'을 보자. 즐거운 여행을 해보고 멋진 호텔이나 근사한 식당에 가서 맛있는 음식을 먹어본 사람에겐 뭘 해도 이전의 그 느낌을 경험할 수 없는 것은 사람의 감정이기에 당연하다. 힘겹던 시절을 겪어본 사람과 그렇지 않은 사람의 생활 습성의 차이일 수도 있다.

어느 때보다 물질적으로 풍요로운 시대를 살아가면서 좋은 것이 주는 가치의 효용은 증가하는 것이 아니라 줄어들게 된다. 일부 재벌들의 자제분들이 세상의 쾌락을 맛보아서 그 쾌락이 주는 가치 효용보다 더 높은 것을 찾다 보니 스스로 무너지는 경우를 보아왔다.

직장 생활을 하다 보면 대기업은 다양한 직원들로 구성이 된다. 어떤 업무를 주면 적극적으로 나서서 하는 사람과 그렇지 않은 사람으로 나누어진다. 선뜻 나섰다가 일이 잘못되면 내가 책임을 지게 되는 경우가 생길 수 있다. 직장에서 좋은 스펙을 가진 사람들은 그만큼 자신감이 있어서 나를 내려놓는 '뺄셈' 보다는 '덧셈' 같은 우쭐함이 있는 때도 있다. 나를 내리면 내린 만큼 대우를 받는 것인데 사람의 심정은 그렇지 않은 것이 본능일 수 있다.

"책임과 인성의 곱하기 기술"

나는 롯데면세점에서 면세점에서 점장을 하고 있을 때였다. 여행사 업체에 수수료를 지급하는 과정에서 담당 과장의 잘못으로 커다란 사고가 발생했다. 부장 승진을 앞두고 청천벽력 같은 일이 발생했다. 나는 일단 당시 영어 이사와 함께 새로 부임하신 사장에게 내용을 보고했다. 그리고 점장인 나에게 관리 책임이 있다고 생각하고 어떻게든 사고를 수습하는 것에 최선을 다했다. 이런저런 방법으로 사고가 난 문제점을 하루 만에 해결했다.

인사위원회에서 징계위원회가 열렸다. 예상대로 나는 중징계를 받았다. 중징계를 받았으니 승진에 '걸림돌이 될 것이었다. 직장인으로서 승진의 미래가 불투명한 상황을 맞이했다. 누구도 내가 부장으로 승진 할 것이라는 것을 생각하지 못했다. 살다 보면 꼭 내가 아닌 남의 잘못으로 인하여 미래가 불투명해지는 상황이 발생한다. 하지만 '나는 점장으로 모든 것을 책임을 진다'하고 뺄셈을 한 것이다. 그리고 모든 것을 하늘에 맡겼다.

"행운도 함께 따라서 와 줘야 하는 것이 아닐까?"

다행히 새로 부임한 J 사장은 예상과 달리 사건 자체보다는 신속한 해결과 책임을 지는 사람 됨됨이 인성이라는 것에 좋게 평가했는지 예상을 뒤엎고 나를 부장으로 승진을 시켜주었다. 그것은 훗날 내가 갈망하던 직장인의 꿈인 억대연봉 임원으로 더 가까워질 수 있게 만드는 내 인생의 디딤돌이 되었다.

우리는 잘 아는 'IQ(Intelligence Quotient)'는 지능지수를 말하는데 1905년 심리학자인 알프레드 비네가 정상아와 지진아를 판별할 목적으로 고안됐다. 신은 사람들에게 공평한 재능을 주었다고 한다. 시대가 복잡해지면서 'EQ(Emotional Intelligence)'를 말하는데 정서 능력 즉 마음의 지능지수를 말한다.

자신에게 엄격하며 타인과 조화를 이루는 인생 키워드 '태도'와 '인성'은 언제고 기회가 주어진다.

아르바이트라는 자리는 '불편함'을 극복하는 것이 중요하다. 노력에는 불편함이 따르지만 하루하루 지속적으로 습관이 되면 쇠줄처럼 단단한 결실을 가져온다. 묵묵히 노력으로 나의 실력을 보여줄 수 있는 자리이다. 정서 능력인 인성과 태도는 습관이 되면 '나'라는 존재를 충분히 행동으로 보여줄 기회가 된다. 아르바이트라는 자리는 비록 '뺄셈'의 자리일 수 있다. 하지만 내가 좋은 인성과 품성을 갖게 되면 그것이 '곱셈'의 효과를 줄 수 있다. 그리고 기업으로서도 그러한 인재를 발견하면 꼭 같이 일하고 싶다는 욕심이 생긴다.

05 4년간 뿌리만 내리는 대나무의 성장 비밀

살아가면서 내가 원해서 하던 일에서 나도 모르게 스트레스가 쌓이고 예기치 않게 인생 열차가 엉뚱하게 다른 방향으로 흘러갈 때가 있다. 그럴 때 간혹 평소보다 일터로 가기가 싫어진다. 근무시간에도 내가 해오던 일이 적성에 맞지 않아 일상이 붕괴되기도 한다. 하지만 새로운 이직의 문이 열릴 때까지 내 안에 들여오는 목소리는 '인내하고 인내하라.'는 것이다

직장인의 길에 이직하는 것도 경력을 쌓으며 시작된다. 나는 첫 직장이었던 호텔에서 하루하루 힘겨운 경험을 하면서 3년 정도 근무를 했을 때 업무에 대한 설렘이 사라져가는 것을 느끼기 시작했다. 업무가 익숙해지는데 몸은 자동반사적으로 움직이고 있었다.

"어떻게 이 상황을 극복해야 할까?"

꿈을 꾸고 들어가서 호텔맨이 되기 위하여 입사를 했지만 호텔에 대한 지식이 너무 부족했다. 배움에 대한 꿈을 버릴 수 없었다. 가족을 먹여 살리기도 버거운데 등록금을 힘겹게 마련하여 야간 세종대학교 호텔경영 대학원을 다니며 작은 꿈을 다시 키워나갔다. 대학에서 전공한 영문학과 무관한 새로운 경영에 대한 것도 배우고 경영 대학원이니 다양한 분야에서 많은 사람이 왔다. 새로운 성장을 위해서 새로운 도전은 새로운 기회를 만든 것 같았다.

하지만 세상일은 아무도 모르고 내가 오래 경험하지 않으면 내가 서 있는 이곳이 나의 천직인지 알 수 없다. 더 큰 꿈을 품고 경영 대학원을 들어갔는데 오히려 호텔 업무가 나에게 안 맞는지 내가 호텔 업무에 안 맞는지 무기력감이 오기 시작을 했다. 하지만 가족을 먹여 살려야 하고 마땅히 갈 곳도 없었다. 그래서 일단 인내하며 경험을 쌓기로 했다.

직장인이 이직하려면 최소한의 작은 경험들이 축적되어야 한다. 대략 최소한 한 분야에서 3년 이상은 경험을 쌓아야 이직하는 경우 경력으로 인정이 된다. 내가 직장 생활을 시작할 당시도 그랬고 지금도 불변의 법칙이다. 그 경력이 바로 나를 대신할 수 있는 스토리이다. 다시 말해, 스토리는 나의 가치를 말하며 생존과 연관된 자산이다

"기업에서 경력직을 채용하는 이유는 무엇일까?'

기업에서 신입 사원을 채용하면 처음부터 모든 것을 가르치며 교육을 해야 한다. 온전히 성장하기까지 기업에서는 많은 시간과 비용을 투입해야 한다. 혼자 어떤 일을 하기까지 최소 3년 정도 시간이 걸린다. 하지만 경력자는 어떤 일을 맡기면 스스로 혼자 해낼 힘이 있다. 특히 기업으로서는 새로운 프로젝트가 생기면 경력자를 선호한다.

내가 원하던 곳에서 꿈이 이루어지면 좋겠지만 내가 원하지 않은 곳에서 꿈이 이루어진다.

나는 내가 원해서 갈망하여 호텔에 들어갔지만 나의 꿈을 이루지 못했다. 롯데 월드 프로젝트에 합격하여 롯데 호텔을 겨냥했지만 영어를 한다는 이유로 내가 원하지 않은 롯데면세점에 발령을 냈다. 처음엔 어리둥절했다. 하지만 돌이킬 수 없는 상황이었다.

이후 나의 전공과 전혀 무관한 세계 최고의 보석 티파니, 까르티에, 불가리 등 유치하는 프로젝트를 담당하게 했다. 막상 일을 해보니 호텔 업무와는 사뭇 다르고 힘이 들었지만 새로운 즐거움을 느끼기 시작을 했다. 결국 1990년 미국보석학회에 유학까지 선발되어 이후 보석 전문가로 인생이 바뀌었다. 내가 원하지 않은 곳에서 꿈이 이루어진 것이다.

'모소 나무는 4년 동안 단 3cm 자란다.'

중국 극동 지방에서 자라는 '모소 대나무'가 있다. 이 대나무는 씨앗이 뿌려진 후 무려 4년 동안 땅속에서 뿌리만 내리며 단 3cm밖에 자라지 않는다고 한다. 4년이 지난 후 땅을 뚫고 밖으로 나와 자라기 시작한다. 6주 동안 무려 15미터를 쭉쭉 자란다. 폭풍 성장을 위해 4년 동안 시간이 멈춘 것처럼 아무런 미동도 하지 않는다. 5년이 되는 해부터 한 주에 2.5미터를 자라고 매일 35cm 정도씩 자란다. 6부차가 되면 그 자라는 순식간에 빽빽하고 울창한 대나무 숲을 이룬다.

국가 대표 선수들을 보자. 오롯이 한가지 금메달 목표를 이루기 위하여 4년간 힘겨운 준비와 노력이 필요하다. 성공한 사람들도 마찬가지이다. 성장의 가속도가 남다른 사람들은 묵묵히 자신만의 능력을 갈고 닦았던 선수들처럼 수년간의 땀과 노력을 수반한다.

외롭게 고독의 시간을 지나면서 다른 경쟁자의 노출에서 벗어나 자신만의 능력을 연마하는 고통의 시간을 인내하며 견딘다.

큰딸도 본인이 원하지 않은 아르바이트로 힘겨운 성장을 시작했다. 고등학교 친구들은 좋은 기업에 들어가고 회사에서는 모두가 정직원으로 당당한 생활을 한다. 하지만 나만 홀로 누구와도 대화를 할 상대도 없고 무기력해질 수 있다. 내가 보기에도 하루하루 힘겨운 나날이었을 것이다. 다행히 1년 인턴이 연장된 후 경험을 쌓고 명품 P 브랜드에 정직원으로 이직했다. 이후 새로운 경력을 쌓아서 신세계 그룹 계열상[경력으로 대학 시절 갈망하던 대기업 취업의 꿈을 이루었다. 이후 대기업의 탄탄한 경험으로 루이비통에 합격을 했다. 지금은 보석 전문가의 길을 걷기 위해 명품 보석 부쉐론에서 근무를 하고 있다.

이처럼 작은 경험을 쌓으면 내가 경력직으로 이직을 하는데 큰 자산이 된다. 그리고 내가 원하던 곳이 아닌 내가 원하지 않은 곳에서 꿈이 이루어진다.

06 인생은 맨땅에서 홀로서기

"부모와 함께 산다"... 취업난에 2030세대 77가 '캥거루족'

동아일보(2024년 4월 15일) 보도이다. 지난달 한 온라인 커뮤니티에 '딸에게 생활비를 받는데 이상한가요'라는 글이 게시됐다고 한다. 해당 커뮤니티에서는 '취업했으면 생활비를 내는 게 당연하다'는 반응과 '이제 막 돈을 벌기 시작했는데 돈을 모을 수 있게 부모가 도와줘야 한다는 반응이 엇갈렸다.

채용콘텐츠 플랫폼에 따르면 이달 1~5일 20, 30대 1903명 대상으로 온라인 설문조사를 실시한 응답자의 77%가 부모님께 경제적으로 의존하고 있다'고 답했다.

자신의 생각을 믿는 것, 자신이 진실이라 여기는 것을 모든 사람도 진실이라고 생각하리라 믿는 것이야말로 비범한 재능이다.
－랄프 왈도 에머슨(자기신뢰)에서

성기철 저자의 '거인들의 인생문장'에 나오는 글이다. 에머슨은 자립과 확신의 칼자루를 손에 부여잡고 누구든지 자연에 존재하는 영적 실재를 믿었다. 자기 내면의 소리를 듣고 홀로서기를 해야 성공할 수도, 행복해질 수도 있다고 말했다. 특히 자기 신뢰론은 불확실성과 두려움 속에 세상을 헤쳐나가야 하는 청년들에게 크나큰 영감을 준다.

"그대 마음속에 숨겨두었던 확신을 드러내라. 그러면 그 말은 보편적 의미를 갖게 된다. 그대 마음속에만 있던 것이 때가 되면 겉으로 드러날 것이다. 그대가 처음에 가졌던 생각이 결국에는 마지막 심판을 알리는 나팔소리와 함께 다시 그대에게 돌아올 것이다."

그렇다, 우리는 자기 고유의 생각이 내면에 분명히 존재하는데도 그것을 외부로 드러내길 꺼린다. 그리고 남과 나를 비교하며 스스로 내가 부족한 것에 대하여 스스로 나를 깎아 내린다. 남 눈치 보는 언행으로 성공과 행복을 보장할 수 없다며 남의 시각과 생각에 주눅이 들어 하고 싶은 말과 행동을 머뭇거린다. 그러다 보면 삶의 주도권을 다른 사람들에게 빼앗기기 일쑤다. 그는 우리 중에 자신감이 부족한 탓에 남의 말 고분고분 잘 듣는 것 말고는 아무

것도 할 수 없는 사람이 넘쳐난다고 한다. 그러니 자기 신뢰를 무기 삼아 주체적인 삶을 살라고 권한다. 내가 앞장 설 테니 따라오라고 손짓하며 소신을 강조한다. 오늘 생각은 오늘 분명하게 내일 생각은 내일 분명하게 표현해야 한다고 말한다

나는 재수를 하고 후기 대학에 들어갈 때 고민한 것이 두 가지였다. 첫째는 후기 대학에 떨어지면 더 이상 물러설 곳이 없었다. 그래서 합격이 우선이었다. 하지만 내가 좋아하던 영문학과에는 꼭 들어가고 싶었다. 당시에 영문학과는 지금도 마찬가지이지만 다른 학과에 비해서 인기가 있어서 경쟁률이 높았다. 누구와도 협의할 상대가 없었지만 소신을 가졌다. 왜냐하면, 전기 수능 시험에서 영어 문제는 거의 전부 맞추었다. 결국 영문학과에 합격을 하며 인생이 달라지기 시작하는 단초가 되었다.

저의 딸은 대학시험에 수능 성적이 부족하여 여러 가지 상황을 고려하여 서울에 있는 어느 대학에라도 들어가는 것이 목표였다. 저의 경우처럼 좋아하는 학과가 아니라 합격이 가능한 학교를 우선시했다. 나는 딸에게 대학에 들어가서는 잠시 방학 기간 동안 패스트후드 식당에서 아르바이트를 해보라고 했다. 그랬더니 힘든 주방에서 어렵게 생활하며 돈 버는 것이 얼마나 힘든가를 경험했다. 맷집을 배운 것이다

대학 졸업 후에는 아르바이트로 취업을 하고 이직을 하는 과정에서는 혼자 스스로 선택하고 진로를 결정했다. 그러다 보니 직장생활을 하는데 모든 상황을 혼자 검토하고 한 단계씩 스스로 성장했다. 이직을 통해서 스스로 홀로서기를 하는 것은 필요하다.

우리 부모님 세대는 먹고살기 힘든 시대를 살아가시느라 자녀에게 삶에 대해 어떤 조언을 할 수 있는 여력이 없었다. 그러다 보니 대다수는 스스로 힘겨운 홀로서기를 한 것이다. 우리 자녀들에게 부모로서 이미 경험한 것을 알려주는 것이 필요하지만 스스로 결정을 하도록 배려하는 것도 바람직한 일이다.

결혼을 생각해 보자. 우리 세대는 결혼이라는 것이 하나의 관례여서 몇 살에 결혼할 것인지 어느 정도 큰 틀이 형성되었다. 나는 결혼하던 당시에 내가 스스로 모든 것을 결정했다. 대다수는 결혼하면 아파트에 전세를 살면서 편안한 길을 택한다. 나는 장모님에게 예물을 흑백 TV와 지금은 거의 보기 힘든 비키니 옷장을 제외

하고는 전부 현금으로 달라고 요청했다. 그리고 그 현금으로 허름한 연립주택 5층에 12평의 연탄 때는 집을 구입했다. 살아가는 데는 불편했지만 나는 일찌감치 돈의 속성을 깨닫고 결혼하자마자 스스로 홀로서기를 한 것이다.

인생길은 수많은 길이 있다. 그래서 자기 신뢰가 삶의 태도에 많은 영향을 끼친다. 스스로에게 믿음이나 신뢰가 부족한 사람은 힘겨운 환경을 불평불만 하며 실망을 하게 된다. 심리적으로도 부정적인 분위기에 휩싸이게 된다. 불만은 주변의 환경에 영향을 받지만, 자신에 대한 믿음이 부족하거나 의지가 약할 때 생기는 것 같다. 이와 같은 상황에 처하면 살아갈 길은 하나이다. 자기 일에 집중하는 것이다. 그러면 불평불만이 사라지기 시작한다.

갈수록 경제 상황이 불투명하고 부익부 빈익빈 현상이 깊어가고 삶의 방식은 다양하다. 좋은 부모 가정에서 태어나서 공부를 잘해서 좋은 대학을 들어갈 수 있다. 대학 졸업 후 누구나 부러워하는 대기업에 취업할 수 있다. 자기만의 유리한 조건을 무기 삼아 평탄한 길을 걸을 수 있고 부모님의 지원을 받아서 창업할 수 있다. 반면에 그것도 아니고 내가 스스로 맨땅에서 길을 개척하며 살 수도 있다. 그렇다고 인생길이 탄탄대로인 사람은 거의 드물다. 재벌들의 가족들 자녀들 가운데 우리가 보기에는 이해할 수 없는 죽음을 택하는 것을 뉴스를 통해서 보았다.

이런 상황에서 홀로서기의 성공 여부는 자기 신뢰에 달려있다. 오롯이 자신의 판단과 능력을 믿고 자신에게 100% 의지해야 한다. 더불어 주변에 현혹되지 않고 목적지에 이르기까지 스스로를 북돋아 주는 상상력도 필요하다.

누군가는 중간에 지쳐서 포기하고 어떤 사람은 끝까지 버티며 성공한다. 4차 산업혁명 시대에 기존 비즈니스의 모델의 기본 전재들이 변화하고 있다. 내가 선택할 수 있는 새로운 길이 많다. 급변하는 시대에 성공적 인생은 자기 신뢰와 홀로서기를 바탕으로 끝까지 해내는 태도가 필요하다.

PART 02

변곡점의
약한 신호등에서
기회를 잡자

01 바꿀 수 없는 환경에 좌절하지 마라

세상에는 불가피한 것들이 참 많다는 것을 경험한다. 살다 보면 어느 지점에서 이르러선 개인의 순수 의지나 노력만으로 얻을 수 없는 것들이 있다는 것을 깨닫게 된다. 대표적인 예를 들면 '출생 환경'이 그렇다고 볼 수 있겠다. 사람은 자신이 태어났을 때의 상황을 선택할 수 없다. 부모도, 사회 분위기도 자기 뜻과는 무관하게 주어진다.

그것은 나의 힘과는 무관한 종류의 것들이다. 우리는 이것을 '운명'이라고 부르기도 한다. 인생의 시작점에서 주어진 이 환경이 비참하고 빈곤하다고 여겨질 때, 자칫 자신의 운명을 비관한 나머지 희망도 없이 무기력하게 살기 쉽다.

'꿈'은 내가 선택할 수 있다.

이렇듯 출생 환경이란 내가 선택할 수 없는 종류이다. 하지만 우리에겐 꿈이 있다. '간절한 꿈"은 내가 꾼다. 일단 꿈을 그리면서 살게 되면 바로 그 꿈이 내 인생의 큰 원동력이 된다. 꿈을 찾은 나는 나 자신의 불필요한 부분을 잘라내고 깍으면서 보석처럼 인생을 다듬어 간다.

나는 대학교 입학금도 제대로 말하기 힘든 상황이었지만 어떻게든 공부하면 길이 있을 것이라 믿고 미국 유학을 꿈꾸며 대학 시절 작은 하루하루 영어 공부에 최선을 다했다.

인생은 내가 전혀 예상하지 못한 사람과의 인연을 통해서 내가 전혀 알지 못했던 시간에 그 꿈을 이루게 해준다. 돌이켜보면 꿈이 없었다면 아마도 그런 사람들을 만나지 못했을 것이고 그런 과정도 접할 수조차 없었을 것이다.

처음에는 사람이 꿈을 꾼다. 그러나 일단 꿈을 품고 나면 그 꿈을 품고 주도해가는 것은 바로 나 자신, 즉 사람이다. 사람이 꿈을 이끌고 간다.

나는 대기업 취업에 탈락했지만 다행이 영어를 전공하여 최고의 호텔에서 직장생활을 시작했다. 그런데 시간이 지나면서 내가 원해서 들어간 그곳은 나에게 원대한 꿈을 주지 못했다. 그런데 나는 꿈을 품고 롯데월드로 경력직으로 이직에 성공했다. 하지만 나의 호텔 경력과는 전혀 무관한 면세점이었다. 하지만 처음에는 적응이 힘들고 업무가 서툴렀지만 나의 꿈을 펼칠 수 있는 새로운 전환점을 마련해 주었다. 시골에서 자라면서 평생 만져보지도 못한 보석 프로젝트에서 새로운 출발을 한 것이다. 마침내 보석감정사가 되고 대한민국 최초로 세계적인 보석 취급을 하며 훗날 퇴직자로 1인 보석 창업을 한 단초가 되었다.

우리 함께 가만히 지나온 길을 되돌아 보자.

우리가 잘 아는 '너 자신을 잘 알라'는 말이 있다. 나 자신의 불리했던 환경을 비하하고 싶진 않지만 자기 자신을 그대로 인정하면 길이 열린다. 직장인의 길에 내가 원하던 곳에 들어가지 못하는 상황이 오기도 한다. 이때 처한 상황에서 선택할 수 있는 길은 나에게 주어진 곳에서 시작하면 인생 절반의 성공이다.

나는 대학 졸업 후 호텔에 취업할 당시에는 내심 관리직 같은 부서에 들어가고 싶었다. 하지만 시골에서 고생하시는 부모님에게 취업 합격 소식을 드리고 싶은 것이 우선이었다. 호텔의 업무는 관리직과 영업직이 있다. 관리직은 누구나 원하는 직종이다. 하지만 영업직인 프런트 업무는 한시도 편한 자리가 아니다. 왜냐하면 24시간 운영이 되는 부서이다.

하지만 내가 불리한 환경에서 내가 원하는 부서를 선택할 수 없었다. 그래서 호텔 업무 중에서 야간 근무가 있는 비교적 힘든 프런트 직종이라도 취업이 된 것이 참 감사했다. 내가 선택할 수 없는 상황을 만나면 있는 그대로 받아들이는 것이 내가 사는 길이다.

큰딸도 마찬가지였다. 명문대를 졸업한 친구들은 소위 최고의 기업에 쉽게 들어갔다. 하지만 아무도 알아주지 않는 아르바이트로 근무하는 것을 거절할 수 있는 상태가 아니었다. 내가 나에게 주어진 환경을 바꿀 수 없는 것이었다.

이처럼 내가 바꿀 수 없는 것에 힘겨운 나를 너무 매몰시키지 않았으면 좋겠다. 대학을 들어가면 다시 '학점 같은 스펙'을 쌓기에 여념이 없다. 왜냐하면, 대기업은 채용 방식이 1차로 서류전형을 한다. 수많은 지원자를 가리기 위해서는 기업으로서는 좋은 학교와 좋은 스펙을 선호하는 것은 부정할 수 없다.

최근 언론 보도에서 보듯이 4차 산업혁명 시대 디지털 기술의 발달로 기업은 다양한 인재상을 요구하는 추세이다. 좋은 학교를 나와도 실제로 현장에서 혼자 할 수 있는 지식이 없으면 기업에서는 학벌이 없어도 주어진 업무를 스스로 할 수 있는 인재상을 채용하는 경향이 있다.

바꿀 수 없는 환경에 시간을 보내며 나를 탓하지 말자. 다시 작은 경험을 통해서 나의 가치를 업그레이드하면서 불리한 환경을 새롭게 개척하면 좋겠다.

02 꿈의 씨앗은 언젠가 싹이 튼다

평상시 과일을 먹을 때 하찮은 씨앗 한 알을 보면 무심코 아무것도 아닌 것처럼 생각한다. 하지만 그 보잘것없는 씨앗이 땅속에 심어지고 시간이 지나면 싹이 트여서 씨앗일 때와는 완전히 다른 차원의 모습이 된다. 인생에서도 꿈의 씨앗을 뿌리는 일이 중요하다. 인생을 완전히 반전시키는 결과를 가져올 수 있기 때문이다.

1364년 경남 진주 씨앗이 몇 개 뿌려졌다. 씨앗은 대부분 죽고 그중에 하나가 살아남아 꽃이 피어 100여 개의 씨앗을 얻었다. 매년 재배량을 늘려서 1367년에는 동네 주민들에게 나누어 주어 심어 기르도록 하였다. 10년 후 나라 전체에 보급이 되었다.

그 씨앗이 바로 목화 씨앗이었다.

어렵고 힘들수록 꿈의 씨앗을 뿌려야 한다. 그렇지 않으면 평생 그 굴레에서 벗어나는 것을 불가능하기 때문이다. 무언가 새로운 시도를 해야 새로운 결과가 나오기 마련이다. 시간이 남아서 씨앗을 뿌리는 것이 아니다. 도저히 시간이 없고 살기가 힘든 상황에서 씨앗을 뿌리는 것이다. 그래야 씨앗이 자라 몇 년 후에라도 힘든 시기를 빠져나올 수 있을 것이 아닌가.

나는 대학 시절에 영문학을 전공했다. 영문학 교수님이 강의 시간에 맨손으로 들어오시더니 칠판에 긴 영어 문장을 쭉 써 내려가는 모습이 너무나 멋져 보였다. 순간 '나도 저렇게 되고 싶다'는 생각이 내 가슴에 불쑥불쑥 치고 올라왔다. 어떻게 하면 저런 모습이 될 수 있는가? 방법은 오직 토플 성적을 통해서 미국 유학을 갔다 와야 했다.

하지만 시골에서 농사를 지으시며 4남매를 학자금 마련으로 먹고 살기 힘든 부모님의 모습을 보니 영어 학원에 다닐 수 없는 형편이었다. 카세트테이프라도 있으면 마음껏 영어 듣기도 하고 팝송도 듣고 싶었지만, 영어 학원비 달라는 말이 입에서 떨어지지 않았었다. 독학 영어를 했다. 도서관에 틀어박혀 토플 관련 참고 서적들을 많이 활용했다.

엄마는 남자에겐 없는 촉이 있다고 한다.

어느 날 저를 안방으로 부르더니 장롱 속 깊은 곳에서 무언가를 꺼내셨다.

"승규야. 이걸로 네가 사고 싶어 하는 카세트테이프를 사렴." 그렇게 말씀하시면서 명주 천으로 꽁꽁 싸매어져 있는 무언가를 내미셨다.

"이게 뭐예요? 엄마?"

"응 그거 금반지란다. 엄마가 한동안 부었던 곗돈을 타서 산 건데 이거 팔아서 카세트 사고 열심히 공부하렴!"

순간 나는 뭐라 표현할 수 없는 감정이 북받쳐 아무 말도 할 수 없었다. 무슨 말을 해야 할지도 몰랐다. 감사하다는 말을 해야 하는데 입 밖으로 나오지 않았다.

지금은 풍족한 시대라 아기 돌이나 생일에 누구나 금반지 한 돈은 살 수 있는 아무것도 아니다. 하지만 당시에 농사를 지으셔서 4남매 학자금 마련조차 버거우셨을 것이다. 엄마는 저 금반지를 사기 위해 얼마나 많은 고생을 하셨을까. 한 달 한 달 곗돈을 부으시며 저 금반지를 사서 손가락에 끼울 날을 생각하며 참고 참고 또 참으셨을까.

그 카세트테이프로 영어를 들을 때 내 귀에는 밤마다 허리가 아파서 "아이고 허리야, 아이고 허리야." 하셨던 엄마의 신음 소리도 같이 들렸다. 나는 그 소리를 들으며 다짐했다.

'반드시 영어를 잘 해내 성공해서 엄마를 편하게 모셔야지!'

나는 엄마가 하나밖에 없던 금반지를 팔아 준 돈으로 그 당시 유명했던 일본사 카세트테이프를 장만했다. 그리고 그 테이프로 영어를 녹음하여 듣고, 따라 하며 또 듣기를 수없이 반복했다. 영어 회화를 듣다가 지지면 팝송을 들었다. 그러다 보니 나중에는 영어를 들으며 우리말로 번역을 하지 않아도 저절로 영어 문장이 이해가 되었다. 이렇게 힘겹게 익힌 영어가 토플 성적을 얻는 데 큰 힘이 되었다.

점수는 '535점'.

당시에는 토플 점수 550점을 넘으면 미국 IVY리그를 포함한 TOP10 학교에 갈 수 있다고 했다. 아쉽게도 그 점수에는 미치지 못하고 유학 비용도 경제적 여건으로 여의치 않아서 미국 유학을 접어야만 했다. 하지만 꿈은 멈춘 것이 아니다. 때를 기다리고 있던 것이다. 내가 햐얏트 호텔에 영어 면접으로 들어가는 계기가 되었다. 그리고 롯데면세점에서 해외 명품 보석 유치 사업을 담당하게 되었다. 그 사업이 신속하게 진행되기 위해서는 '보석감정사'가 필요했다. 그 자격증은 미국보석학회에서 받을 수 있었다.

그곳에서 보석 공부를 하려면 입학 허가를 위해 토플 성적이 있어야 했다. 인사팀에서 확인해 보니 보석학회에서 업무 관련 유학을 갈 수 있는 사람은 나와 다른 동료뿐이었다. 물론 4년제 정규 학부는 아니었지만 어쨌든 나는 미국 유학을 떠날 수 있었다. 대학 시절 간절히 바라던 미국 유학의 꿈을 13년 만에 실현되었다.

목화씨 한 알이 심어져 10년 후에는 나라 백성 전체가 따뜻한 옷을 입을 수 있었다. 유학 갈 돈이 없었지만, 독학으로 토플 공부를 해놓았더니 13년 후 미국보석학회에 공부하러 갈 수 있게 되었다.

이처럼 씨앗을 뿌리면 언젠가는 그 싹을 보게 되어 있다. 지금 힘든 상황에 있을수록 씨앗을 뿌려야 한다. 그 기간은 5년이 될 수 있고, 10년 이상이 될 수 있지만 결국 그 보답을 받게 될 것이다.

03 기죽지 말고 스펙에 너무 신경쓰지 마라

나는 대학 시절에 영어 학원 갈 돈이 없었다. 지금은 영어를 공부할 수 있는 수단이 다양하다. 하지만 내가 대학을 다니던 시절에 영어를 배울 수 있는 곳은 영어 학원 외 내가 공짜로 영어를 배울 수 있는 곳을 찾아가야 했다. 나는 우연히 서울 마포구 연희동에 외국인 선교사 센터가 있는 곳을 알았다. 즉, 외국인 선교사에게 영어 바이블을 통해서 영어로 토의를 하는 모임이었다.

처음 참여를 하여 각자 소개를 하는 시간이었다. 그렇지 않아도 나는 내심 자격지심으로 불리한 스펙에 대한 생각을 했다. 왜냐하면 참석자 학생들은 SKY 출신 등 스펙이 좋은 학생들이었다. 대다수가 좋은 대학을 다니거나 좋은 집안에서 자란 사람들이 었다. 나는 그들과 모든 것을 비교해도 좋은 점이 하나도 없었다. 하지만 나는 생각을 했다. 그래 스펙보다 영어로 승부를 걸자하고 내가 갖고 있던 불리한 상황에 기죽지 않고 부정적인 생각을 떨쳐버렸다. 그 외국인 선교사님과 학생들의 오랜 영어 모임을 통해서 나의 영어 실력은 한층 수준이 향상되었다.

대기업 채용은 아무래도 좋은 직장은 좋은 스펙을 가진 사람들이 유리한 것은 사실이다. 만약 나의 스펙이 그렇지않다면 기업에 취업하면 상대방의 화려한 스펙에 너무 신경을 쓰지 않는 것이 좋다. 학교에서의 좋은 성적이 기업에서 우위를 나타낼 수 있기도 하다. 하지만 기업은 한 사람의 힘으로 이루어지는 것이 아니다. 수많은 연관성을 통해서 기업의 목적과 비전을 이루는 것이다.

치열한 경쟁을 뚫고 기업에 들어가면 모두가 새로운 출발점에 서 있는 것이다. 학교는 시험이라는 하나의 목적을 위해서 한 사람이 두각을 나타낼 수 있다. 하지만 기업은 한 사람이 모든 것을 이루는 것이 아니다. 다양한 부문에서 각각 한 사람들은 직책에 맞는 업무를 수행하면서 상호 보완과 협력을 통해서 하나의 매출이라는 목표를 위해서 존재한다. 그래서 불리한 스펙이라도 내가 주어진 환경에서 성실하게 업무에 임하면 일정 기간이 지나면 승진을 하면서 성장을 하는 것이다

사실, 나는 하얏트 호텔에 들어갔을 때 글로벌 호텔이다 보니 미국의 유명 호텔 학교인 '코넬' 등 해외 유학을 마친 사람이 있었다. 롯데에 이직하니 대기업이기에 'SKY'출신 등이 있었다. 나는

학교스펙으로 보면 가장 불리한 이력의 보유자였다. 마음 한쪽에서는 내가 무엇으로 좋은 스펙을 가진 사람에게 불리함을 극복할 수 있을까 내심 염려가 되었다. 하지만 직장인의 길은 30여 년을 거쳐야 하는 기나긴 여정이다. 그래서 하루라도 빨리 나의 불리한 스펙을 떨쳐 버리는 마인드셋이 필요하다.

"대기업 CEO 'SKY 출신' 비중 절반 밑으로"

매일 경제(2017년 4월 12일) 보도를 보면 국내 500대 기업 최고경영자(CEO) 중 서울대, 고려대, 연세대, 이른바 'SKY대' 출신 비율이 50% 아래로 떨어진 것으로 나타났다. 기업 성과평가 사이트인 CEO스코어는 "2016년 사업보고서를 통해 분석한 결과 500대 기업 중 SKY대 출신은 218명으로 48.9%로 조사됐다"고 밝혔다.

국내 500대 기업 CEO 출신 학교 (단위=명·%)

출신 대학 상위 10위			출신 고교 상위 10위		
대학	인원	비중	학교	인원	비중
서울대	122	27.4	경기고	29	8.1
고려대	52	11.7	서울고	14	3.9
연세대	44	9.9	경복고	13	3.6
한양대	24	5.4	경북고	11	3.1
성균관대	17	3.8	부산고	9	2.5
한국외대	13	2.9	마산고	8	2.2
서강대	12	2.7	신일고	8	2.2
영남대	11	2.5	경동고	7	2.0
인하대	10	2.2	경북사대부고	7	2.0
중앙대	10	2.2	보성고	7	2.0

※ 자료=CEO스코어

이번 조사는 500대 기업 중 사업보고서를 제출한 347개사의 CEO 446명을 대상으로 했다. 조사엔 총수 일가 등도 포함됐다. 2년 전 조사에 비해서는 SKY대 비율이 2.6% 포인트 낮아져 50%선 아래로 떨어졌다.

학교별로는 고려대(-2.1% 포인트)의 감소하고, 서울대(-0.3%포인트)와 연세대(-0.2%포인트)가 감소했다. SKY대 출신이 줄어든 자리는 한양대(0.4%포인트 증가), 서강대, 영남대, 인하대, 중앙대 등이 채웠다.

기업의 승진 단계는 갈수록 다면 평가이다. 부하 직원이 상사를 평가할 수 있다. 한 사람이 승진을 결정하는 것이 아니다. 예전의 좋은 대학 출신 승진의 관습이 새로운 시대에 바뀌고 있는 것은 바람직하다.

나는 졸업 후 하얏트 호텔 입사부터 불리한 스펙이지만 롯데면세점에서 직장인의 꽃인 임원 승진을 했다. 그리고 영국의 초고가 보석과 세계 1등 면세점 한국 대표까지 올랐다. 처음부터 그 똑똑하고 잘나지는 못했지만 내가 지난날 불리한 시절의 과거로, 또는 떠나온 곳으로 돌아갈 수 없다는 것을 깨닫는 것이 필요하다

살아가면서 창의적인 좌절감에 기죽지 말자. 일단 기업에 취업을 하면 기존의 불리한 스펙에 대한 생각은 접어두자. 직장인의 길은 내게 주어진 상황에서 확고한 자신이 꿈을 갖고 목표를 구축하기까지 먼 길을 가야 한다. 과거로 돌아가기르 완전히 포기하고 진정한 의미로 새로운 출발을 통해 노력하고 최고의 위치에 올라가는 것에 최선을 다하자.

04 인생의 변곡점에서 선택의 힘!

삶이 다른 방향으로 변화하기 시작하는 변곡점!
오십은 어떻게 불확실한 미래를 대비하고 인생을 지킬 수 있는가?

신간 '오십에 읽는 손자병법'의 최승목 저자는 '손자병법'에 해답이 있다고 말한다. "오십에 이르러 미래를 생각하게 될 때, 어떤 상황에서도 흔들리지 않는 대비책이 필요할 때다. 편안한 마음으로 오십 이후를 맞이하고 싶을 때 손자병법에 담긴 지혜로 변화를 도모해야 한다. 이는 곧 인생이라는 승부처에서 승리하기 위한 준비"하고 말했다.

손자병법은 나폴레옹이 전쟁터에서 항상 휴대하고, 소프트뱅크 손정의가 자신의 성공비결이라고 밝힌 책이다. 오늘날의 빌게이츠를 만든 시대를 초월한 길작이다. 제후국 간의 패권 경쟁이 치열하고 능력 있는 자들의 이합집산이 잦았던 춘추전국시대 말기, 손자는 전쟁 전략서 이 책을 집필했다.

그는 "삶이 정점에서 점차 기울어지기 시작한다면 모든 것이 점차 종료되는 시기로 오십 이후를 생각한다. 하지만 우리에게는 인생의 오후가 남아 있다며 삶의 변화에 현명하게 대처하고 싶다면, 손자병법을 통해 나를 둘러싼 상황을 읽고 내게 필요한 변화를 찾는다면 인생의 오후에 비로소 승리할 수 있을 것"이라고 말했다

그럼 우리는 살면서 인생의 변곡점에서 나에게 짓눌린 것들을 과연 청산할 수 있을까? 변화의 시작을 알리는 변곡점은 언제 다가올까? 내가 개입하여 역전의 기회로 잡을 수 있을까?"

나에게 다가온 변곡점에서 기회를 유리한 방향으로 잡기 위해서는 평상시에 콘텐츠를 만들고 철저한 준비가 돼있어야 한다. 이 인생의 전환점인 변곡점은 마치 선전포고 같은 무거운 순간이다.

인생은 내가 전혀 예상하지 못하는 시간의 흐름 속에서 꿈을 꾸며 성장할 새로운 기회를 통해서 도약하며 성공할 수 있다. 하지만 평상시에 나만의 습관을 갖고 기회를 잡아야겠다는 강박을 갖지 말고 작은 하루하루를 자연스럽게 질서 있게 온전하게 만들어

가야 한다. 그래서 인생의 변곡점이 오는 순간에 내가 올바른 인사이트를 갖고 올바른 통찰력으로 제대로 된 결정을 할 수 있다.

보통 세상의 시간 변화는 10년 주기로 오는 것 같다. 하지만 개인의 성장을 위한 변곡점은 규칙적으로 오는 것이 아니다. 오래 걸려서 올 수 있고 시시각각 변화가 올 수 있다. 선택의 순간에 내가 왜 이것을 결정해야 하지 신중히 고려해야 한다. 선택의 결과에 따라 지금보다 좋을 수 있고 그렇지 않을 수 있다. 기회와 위기는 동전의 양면처럼 공존한다.

현재 지금 내가 미래의 나를 만드는 것이다.

'왜 나에게는 변곡점에서 기회가 없나?' 불평할 수 있다. 기회는 변곡점에서 다가온다. 기회를 잡는 법은 한 가지뿐이다. 그래서 내가 준비가 돼 있어야 한다. 기회를 놓치고 잡는 것은 내 책임이며 기회는 외부 환경에서 만들어지지만, 오롯이 나와의 관계에서 이루어진다.

기회는 변곡점에서 큰 기회일 수 있고 작은 기회일 수 있다. 큰 기회는 내가 오랜 경험으로 준비를 하는 것이다. 작은 기회 또한 훗날 큰 기회일 수 있다. 작은 기회가 쌓여서 다가온 변곡점을 성공의 기회로 만든다.

되돌아보면 나에게 다가온 첫 번째 작은 변곡점은 까마득한 50여 년 전 시골 중학교 2학년 시절이다. 어린 시절 처음 접한 선생님의 제안이 훗날 내 인생을 완전히 바꾸어 놓은 것이다. 아련한 기억으로 미루어 보건데 그것은 아직 세상 물정을 모르던 나에게 결코 쉬운 일은 아니었다. 지금도 궁금하다. 많은 학생 중에서 하필 나에게 그런 제안을 하셨을까?

어느 날인가 '영어 선생님이 승규야, 교내 영어 암송대회 나가보면 어떻겠니?' 하며 물으셨다. 나에게 영어 암송대회 참가 기회를 준 것이다. 나는 선생님의 제안이라 거절도 못 하고 받아들였다. 영어 한 문장을 외우고 다음 문장을 외울 때 첫 문장을 외우는 방식으로 결국 암송대회 영어 문장을 다 외웠다. 교내 영어 암송대회를 마친 이 작은 성공 체험이 대학에서 영문학과를 들어가고 대학 졸업 후 영어 면접으로 하얏트 호텔에 들어갔다.

여러분은 마음에 썩 내키지 않는 직장에서 근무한 적이 있는가?

나는 대학 졸업 후 내가 원해서 들어간 호텔에서 직장인의 길을
걸으면서 초기에 안정성이나 급여 등 관련 어느 정도 만족스러운
편이었다. 하지만 내가 맡은 직종에 대해서 적성이 맞지 않은 것
인지 보람을 느끼지 못하기 시작한 것이다. 그래서 이직을 감행한
것이다.

그런데 나는 롯데면세점으로 이직을 하자마자 가장 큰 인생의 변
곡점이 1990년 롯데면세점에서 다시 다가왔다. 당시에 나는 잠시
혼돈의 시간에 빠져 있었다. 보통 경력직은 기존의 경험을 그대로
살릴 수 있는 보직으로 발령을 하는데 나에게 전혀 무관한 면세점
으로 발령이 났기 때문이다. 당시 롯데면세점이 긴박하게 준비한
세계적인 보석 유치 프로젝트에 보석 감정사가 필요했다. 나는 업
무에 적응하기도 전에 대학 시절 미국 유학을 위해 준비한 토플
성적 하나로 급기야 미국보석학회 유학에 기적처럼 선발이 되었
다.

변곡점은 마냥 편하게 다가오지 않는다. 인생의 기로에 서 있고
내가 어디로 가야하는지 몰라 당황하기도 한다. 마치 구불구불 이
어지는 환타지 월드의 놀이터 미궁 속에 갇혀 있는 것처럼 말이
다.

마치 미궁에 빠져있는 이 순간에 감성보다는 냉철한 이성을 갖고
조화롭게 행동을 해야 한다. 철저히 준비가 되어야만 변곡점에서
내 인생이 유리한 방향으로 바뀐다. 하지만 그 적응하는 시간까지
내가 흔들림이 없어야 한다.

05 대학 시험에 탈락했기에 대기업 임원이 되다

실패, 실패, 실패... 실패로 얼룩진 커넬 샌더스의 삶
실패는 있어도 포기는 없다... 1008번 끝에 KFC를 세우다
-IT 동아 강일용 기자 보도 중에서

62세에 직접 만든 조리법으로 창업하여 특별한 성공을 한 그의 이름에 붙어있는 커넬(대령)은 군대 계급이 아니다. 미국의 주지사가 남부의 신사들에게 붙여주는 경칭이다. 미스터(Mr)나 서(Sir)보다 높은 존경의 의미가 있다.

그가 특별한 이유는 세 가지이다. 첫째는, KFX의 기원이 된 '오리지널 치킨'의 조리법을 스스로 창안한 점이고, 둘째는 그 자신이 KFC의 대표 모델이 되었다는 것이다. 셋째는 수많은 실패에도 불구하고 늦은 나이에 창업에 도전해 세계 1등의 치킨 프랜차이즈를 일궈냈다는 특별함이다.

그는 오하이오 강을 오가는 정기 연락선을 운항하는 최초의 사업은 실패했다. 두 번째 주유소 사업은 순조롭다가 1929년 세계 경제 대공황이 오면서 다시 실패했다. 그는 실패에 굴해 주저앉을 수만은 없었다. 이번에는 다시 주유소 사업을 하면서 손님들에게 음식까지 제공하는 자동차 카페를 시작했다.

음식에 대한 자신감이 생긴 그는 주유소 사업은 그만두고 레스토랑으로 전업한 것이다. 하지만 1939년 샌더스 카페에 큰불이나 모든 것이 불타버리면서 다른 위기가 찾아왔다. 제2차 세계 대전에 대비하여 민간에 가스를 공급하는 것을 중단하고 어쩔수 없이 사업을 그만두어야 했다. 60살이 넘은 그에게 남은 연금과 낡은 포드 자동차와 몇 벌밖에 없는 양복뿐이었다.

그는 포기하지 않고 자신의 조리법과 레시피를 활용해 다시 사업을 시작했다. 미국 전역을 돌며 자신의 조리법을 팔고 무려 1008번의 거절을 당했다. 그런데도 포기하지 않고 1952년 미국 유타주 솔트레이크시티에서 피트 하먼이라는 사업가를 만나서 결국 세계 치대의 치킨 프랜차이즈 KFC를 만들었다. 솔트레이크시티에 위치한 피크 하먼의 KFC 매장은 반세기가 넘게 지금까지 KFC 1호점으로 영업 중이다.

"탈락은 아프다."

아픔은 상처를 남긴다. 인생은 아픔이 남긴 상처를 어떻게 처리하는가에 따라 결정된다. 상처를 늘 떠올리면서 힘들어하고 상처로 인해 마치 인생 전체가 망가진 것처럼 생각하는 사람은 결국 암울한 삶을 살게 된다.

반면에 아픈 상처를 통해 자신을 돌아보면서 본인이 그 상처를 받게 된 이유를 분석해보고 거기까지 이르게 된 과정을 꼼꼼하게 살피며 교훈을 얻는 사람은 점점 더 탄탄해지는 삶을 살기 마련이다.

나는 고등학교 시험에 첫 탈락을 하고 삶이 내 뜻대로 안 된다는 것을 깨달았다, 후기 고등학교에 들어갔다. 나는 또다시 대학시험에 탈락했다. 대학시험을 보던 날 아버지께서 바쁜 농사일을 제쳐놓고 일찍 달려오셔서 힘을 북돋아 주셨다. 하지만 결과는 다시 씁쓸한 탈락을 경험했다. 나도 마음이 아팠지만, 부모님께 너무 죄송하고 무슨 말을 해야 할지 몰랐다.

힘겨운 재수를 해야 했다. 부모님이 시골에서 농사를 지으셔서 재수학원에 다닐 형편이 못되어 혼자 공부를 했다. 내가 다니던 고등학교는 내가 2회 졸업생으로 신설된 학교였기에 도움받을 수 있는 선배도 그다지 없었다. 나는 첫 시험에 탈락한 이유를 생각해 보았다. 나는 영어에 자신이 있었기에 다른 과목들은 웬만큼만 하면 어렵지 않게 합격하리라 생각했다.

대학시험 3개월을 앞두고 근근이 재수학원에서 막바지 시험을 다시 점검했다. 결과는 다시 암울했다. 내가 재학 시험을 치를 때는 전기와 후기로 나누어 시험을 봤다. 전기 시험에 응시하고 다시 탈락했다. 눈 앞이 캄캄하고 머리가 백지처럼 아무 생각이 없었다. 숨이 막혔다. 다시 부모님의 얼굴이 떠올랐다. 하지만 그대로 있을 수 없었다. 후기에 인생을 걸어야 했다. 결국, 명지대학교 영문학과에 합격했다. 이때의 영어 전공이 1990년 롯데면세점에서 내 인생을 송두리째 바꾸었다.

나는 대학 시절부터 힘겨운 질병이 와서 알 수 없는 휴학을 하고 어머님의 무한한 헌신으로 복학을 했다. 그리고 군대 입대를 두 번이나 징집 면제를 했다. 그래서 대학 졸업도 같은 또래의 친구보다 늦게 졸업을 했다. 그런데 또다시 대기업 취업 서류전형에서 취업에 실패했다.

"한쪽 문이 닫히면 다른 쪽 문이 열린다."

고등학교 시험에서 대학시험과 대기업 취업에서 연속 탈락을 했다. 나는 왜 내 인생은 이렇게 안 풀리는가 좌절을 했다. 그러나 취업에 실패한 것은 대학 이전 탈락에 비해 그렇게 아프지는 않았다. 탈락의 순간을 어떻게 대해야 할지 알고 있었기 때문이다. 탈락했다는 사실에 얽매이지 않고 당당하게 다른 길을 찾았다. 수시 채용인 글로벌 기업 하얏트 호텔에 극적으로 입사를 한 것이다.

2005년 대기업에서 부장 승진을 하고 미래가 희망의 빛을 밝혀주었다. 하지만 호사다마라고 항암 치료를 해야 하여 다시 알 수 없는 휴직을 했다. 인생이 더 이상 미래가 없고 완전히 무너졌다. 치료부터 회복까지 1년 7개월을 휴직한 후 극적으로 복직을 하고 25년 만에 대기업 임원의 자리에 오를 수 있었다.

내가 인생의 변곡점에서 임원이 될 수 있었던 것은 그간 여러 번의 시험 탈락에서 인생의 맷집과 끈기를 배우고 익힐 수 있었기 때문이다. 탈락은 끝이 아니다. 나에게 다른 방식을 시도하라는 신호일 뿐이다.

인생은 '탈락'과 '재도전'의 반복이다. 열쇠는 생각의 검색어 안에 내장된 열정의 온도와 긍정적인 마인드에 달려있다.

06 보석 감정사를 공부하며 '인생 감정'을 배우다

지구상에 수많은 보석은 각각 고유한 내포물을 갖고 있다.

1990년 미국보석학회에서 보석을 배우며 보석의 신비함을 알게 되었다. 수많은 보석마다 그것만의 고유한 속성과 형태가 숨겨져 있다는 사실을 말이다. 보석 중의 보석 다이아몬드만 해도 기준과 세공 방식에 따라 천차만별이다. 나의 힘겹던 인생을 되돌아보아도 마찬가지란 생각이 든다. 자신만의 고유한 속성과 모습에 따라 독특한 가치를 지닌 존재가 바로 인간이다. 각각 다른 특성을 가진 존재이기에 다른 누군가와 비교하며 부러워할 필요가 전혀 없다.

다이아몬드는 '킴벌라이트'라고 하는 원석은 가공과 연마의 세공 과정을 거쳐서 아름다운 보석으로 탄생한다. 다이아몬드의 가격을 결정하는 기준은 '4C'라는 것이 있다.
첫째, 캐럿(Carat)은 다이아몬드의 크기 즉 중량을 말한다, 캐럿의 종류에 따라 수백억 원까지 나가는 것도 있다.
둘째, 클래러티(Clarity)는 다이아몬드의 투명도를 말한다. 내외부에 다이아몬드 고유의 내포물의 정도에 따라 11개 등급으로 구분된다.
셋째, 컬러(Color)는 흔히 볼 수 있는 화이트칼라 다이아몬드가 있다. 그리고 팬시 칼라 다이아몬드라고 파란색, 붉은색, 핑크색 등 다양한 색상이 존재한다. 특히 블루 다이아몬드는 아주 희귀하여 구하기도 어렵다.
넷째, 컷(Cut)은 다이아몬드 모양으로 가장 잘 연마된 아이디얼 컷과 얇거나 깊은 컷 등이 있다.

영화 '타이타닉'에서 여주인공 로즈가 약혼자에게 받은 대양의 목걸이라는 다이아몬드는 미국 스미소니언 자연사 박물관에 전시되어 있는 '블루 다이아몬드'를 모티브로 만든 것이다. 1975년 다이아몬드 가격 측정 결과 45.52캐럿인데 약 2,700억 원의 감정가가 나왔다고 한다.

1990년 보석 감정을 공부하기 위해 미국행 비행기를 탔을 때 내 마음은 너무도 설렜다. 20대부터 꿈꾸던 미국에서의 공부를 경험할 수 있다고 생각하니 그동안 회사에서 시달렸던 어려움이 씻은 듯이 잊혀졌다. 도착하자마자 일단 한인타운에 숙소를 정했다. 모든 것이 낯설고 어색했지만 하나씩 해결해 가면서 입학 준비를 마쳤다.

미국보석학회(GIA: Gemological Institute of America)의 커리큘럼은 다이아몬드, 컬러스톤, 디자인, 제조과정 등으로 구성되어있다. 나는 세계적인 보석 취급하는데 실무적으로 가장 중요한 다이아몬드 감정 과정을 선택했다. 교육은 오전 10시부터 오후 6시까지 스파르타식으로 강도 높게 진행되었다.

교육 첫날, 나는 '멘붕'상태에 빠지고 말았다, 한국에 있으면서 실무에서 어느 정도 영어를 사용하면 큰 문제가 없었기에 영어로 수업을 받는 것이 어렵게 느껴질 것이라고 전혀 생각하지 못했었다. 그런데 원어민 교수의 첫 영어 수업을 거의 알아들을 수 없었다. 더구나 그때 당시만 해도 나는 보석 관련 전문 용어에 대한 지식이 전혀 없는 상태였으므로 교수의 강의가 무슨 말인지 도통 이해할 수 없었다.

결국, 영어교재와의 치열한 사투를 시작했다. 오후 6시에 수업을 마치면 바로 집으로 돌아와 간단히 저녁을 먹고 영어교재에 나온 용어들을 사전을 통해 찾아가며 새벽 늦게까지 공부했다. 대학 입학시험을 준비할 때 보다 더 열심히 공부한 그것 같다. 이렇게 몇 개월을 공부하고 나니 교수들의 설명이 어느 정도 귀에 들어오기 시작했다.

보석 감정사 시험은 두 가지로 이루어진다.

필기시험과 실기시험이다. 필기시험은 총 3번의 기회가 주어지는데 그동안 밤을 새워가며 공부한 덕분에 1차에 바로 합격을 했다. 문제는 실기시험이었다. 총 5번의 기회가 주어진다. 플라스틱 박스에 무작위로 20개의 스톤을 넣어주고 스스로 각종 테스트를 해보면서 각 스톤의 속성을 100% 맞춰야 합격이 된다. 나는 3번 연속해서 탈락의 고배를 마셨다. 정신이 번적 들었다. '이러다 불합격하면 회사에 어떻게 돌아가지?'하는 불안감이 찾아왔다. 사실, 불합격하면 망신스러워 돌아갈 수도 없는 처지였다. 두려움에 몸서리가 쳐졌다.

혼자서는 해결할 수 없다는 생각이 들었다. 교수 한 분을 붙잡고 늘어졌다. 나는 합격하지 않으면 안 된다는 절박함을 토로하며 온종일 교수에게 내가 실수했던 스톤들에 대하여 집중적으로 질문하고 배웠다. 다행히 교수는 나의 열정과 간절함을 높이 평가하면서 세심하게 지도해주었다. 결국, 4번째 실기시험에서 합격할 수 있었다. 모든 시련은 결국 실패가 아니라 완성으로 가는 과정이다.

천연의 진짜 다이아몬드는 땅속 깊은 곳의 광맥에서 초라한 돌덩어리 같은 원석을 캔 다음 다르고 다듬고 갈아 연마하면서 전문 세공사의 정성을 다한 세공 과정을 거쳐 찬란한 다이아몬드로 탄생된다. 사람이 만든 가짜 다이아몬드는 외형은 진짜 다이아몬드와 비슷한 합성 보석을 찾아 유사하게 깎아서 만든다. 가짜는 아무리 캐럿이 크고 외형이 진짜처럼 빛이 나 보여도 결국 보석 감정사에 의해 들통나기 마련이다. 전문가의 감정 과정을 통해 가짜라는 낙인이 찍히기 마련이다.

인생은 산다는 것 그 자체가 전투이다. 진짜 인생은 외형만 번지르르하게 갖추어져 있다고 되는 것이 아니다. 시련의 불길이 타오르면 겉모습만 비슷한 가짜들을 순식간에 무너지고 사그라들기 마련이다. 진짜는 반복되는 연마 과정을 통해 날카로워지면서 아름다운 빛을 발하게 된다. 내게 찾아왔던 인생의 고난들은 나를 더욱 단단하게 단련시켜주는 연마의 과정이었다고 생각이 든다.

보석 감정을 배우러 갔다가 인생 감정을 배우고 왔다.

PART 03

다이아몬드는
탄생의 고통이다

01 진짜 보석, 진짜 인생 vs 가자 보석, 가짜 인생

　나는 1990년 미국보석학회에서 보석을 공부하며 보석의 탄생을 아픔이 없으면 절대로 만들어질 수 없다는 것을 배웠다. 자연의 법칙은 철저한 인과응보의 법칙이다. 고

"고통이 없으면 아름다움이 없다."

　보통 다이아몬드는 땅속 깊이 약 120km 지점에서 형성이 된다. 그 지점은 고온고압이 상태이다. 신비하게도 가장 나약한 탄소가 가장 열악한 환경에서 가장 강한 다이아몬드가 된다. 이 과정에서 이물질이 들어가서 다이아몬드 내외부에 내포물(아픔)이 만들어진다. 그런데 이 내포물은 아주 정교하고 섬세하다. 수많은 보석마다 고유한 내포물이 있다. 이 고유한 내포물이 보석의 이름이 되고 보식 고유한 속성이 되는 것이다.

　가짜 보석은 사람이 인위적으로 만든 보석이다. 그래서 천연 보석처럼 내포물(아픔)이 없다. 인위적으로 만들어지는 과정에서 형성된 내포물은 투박하고 거칠다. 일반인이 겉으로 보면 천연 보석과 구분이 어렵다. 이처럼 가짜 보석은 아픔이 없는 것이다.

　우리가 살아가면서 순풍을 만나면 복이지만 역풍을 만나면 내가 당시에는 힘들고 어렵다. 하지만 내가 아름다운 보석으로 만들어지는 과정에 있는 것이다.

"저게 저절로 붉어질 리는 없다.
저 안에 태풍 몇 개
저 안에 천둥 몇 개
저 안에 벼락 몇 개"

　－장석주 시인의 '대추 한 알' 중에서

　엄지손가락 마디만 한 대추 한 알 안에 태품, 천둥, 벼락이 몇 개씩이나 들어있다고 표현한 시심이 놀랍다. 그렇다. 시퍼런 대추 한 알이 잘 익은 붉은 대추가 되기 위해서 나무가 태풍도 견뎌야 하고, 천둥과 번개 소리에 놀라기도 해야 하며 벼락이 내리치는 밤들을 지나야 한다. 하물며 수많은 상황과 사람을 겪어야 하는 인

간의 삶은 오죽하겠는가.

나는 첫 대학 입학시험에서 고배를 마시고 시골집에서 공부하며 있기가 어려워서 인천에 사는 누님 집에 기거하며 재수를 준비했다. 두 번째 대학시험에 도전을 앞두고 전혀 예상하지 못했던 삶의 천둥 벼락을 맞았다. 누님 집에서 기거할 때 연탄가스 사고가 난 적이 있다. 난 의식을 회복하고 깨어났는데 내가 병상에 누워 있다. 누님에게 자초지종을 들었다.

삶의 벼락은 언제 내게 떨어질지 알 수 없다. 내가 만약 그때 깨나지 못했다면 나는 대학에 가기 위해 재수하다가 죽은 인생이 되었을 것이다. 누가 들어도 정말 재수 없는 인생이 디고 말았을 것이다. 지금은 거의 없지만 예전 뉴스에서 들었던 연탄가스 사고를 내다 당할 줄은 꿈에도 생각해 본 적이 없었다.

병원에서 눈이 떠졌을 때 머리가 깨질 듯 아팠지만 내가 아직 살아있다는 것이 참 감사했다. '그래, 내가 여기서 죽을 운명은 아니었구나. 지금부터 삶은 덤으로 사는 인생이구나' 하는 생각이 들었다. 그때부터 세상을 보는 가치관이 달라졌다. 그전까지는 열심히 하면서도 마음 저 깊은 곳에 '나는 왜 시골에 가난한 집에서 태어났을까?' 왜 나는 이렇게 힘들게 살아야 할까?'

그러나 이제는 완전히 달라졌다. 내가 숨을 쉴 수 있는 것에 감사했다. 나에게 재수할 수 있는 시간이 주어졌다는 사실이 감사했다. 언제든지 찾아가면 뵐 수 있는 부모님이 계신 것이 행복했다.

나는 대학 시절 질병을 치료하느라 힘겨운 휴학을 하고 직장인의 길에 청천벽력 같은 항암 치료를 하기 위해 휴직을 하는 등 모든 것이 늘 늦깎이 꼬리표였다. 더구나 연탄가스 사고를 포함하여 다섯 번의 육체적 고통의 터널을 지나며 변곡점에서 내가 성장하는 것을 보면서 보석 같은 순간들을 경험했다

인생의 모든 것을 한순간에 멈추게 하는 삶의 벼락이 언제 떨어질지 모른다고 생각하니 어떤 순간에도 정직하게 판단하고 행동하겠다는 생각이 든 것이다. 직장인의 길을 걷다 보면 나만 왜 승진이 느려지는가에 대하여 조급해지기 쉽다. 조급함은 나를 힘들게 하는 가장 흔한 원인 제공자다.

고등학교 시험부터 아픈 탈락을 경험했다. 대학 시험에 탈락 후

재수하고 또 다시 대학시험에 탈락했다. 대학 졸업 후 대기업 추업에 탈락했다. 이처럼 정말 내외부적으로 아픔이 참 많았다. 지금 이 책을 쓰는 지금, 이 순간은 아픔이 없는 가짜 보석, 가짜 인생보다는 진짜 보석, 진짜 인생으로 살아가는 것이 진정한 삶의 가치라는 것을 전하고 싶다. 매일 잠들었다가 매일 차임 눈을 뜨는 것도 실은 덤으로 사는 인생이라 할 수 있다. 어찌 보면 매일이 덤으로 사는 인생인 것이다.

"지금 여러분은 어떤 상황인가?"

힘겨운 상황은 변곡점에서 크고 작은 모습으로 다가온다. 하지만 긍정과 희망의 노력으로 슬기롭게 극복할 수 있다. "지난날의 굴곡의 시간을 되돌아보면 버거운 일상을 살아간다는 것은 아름다운 다이아몬드로 만들어지는 과정에 있다"라고 여기면서 살아가는 지혜가 필요하다.

아픔이 있는 진짜 보석, 신짜 인생을 통해서 좀 더 여유를 갖고 양보하고 사랑하며 살자.

02 성공 로드맵을 그려놓은 사람은 어떤 유형일까?

변화 경영 사상가로 활동했으며 최근 더욱 많아지고 있는 '1인 기업'의 효시로 불렸던 구본형 작가는 그의 저서 "THE BOSS 쿨한 동행"에서 상사들이 선정한 '가장 보기 싫은 부하 직원'의 유형을 10가지로 제시하고 있다.

1. 회사에 생계를 걸고 있으면서 충성심은 없는 배은망덕형
2. 속내를 감추며 거짓말하는 불투명 크렘린형
3. 일과 책임을 남에게 떠넘기고 사람들의 관계를 이간질하는 화근형
4. 업무 마감 시한을 어기고 늘 변명하는 게으름뱅이형
5. 찾으면 없거나 지각, 조퇴가 잦은 근무태도 불량형
6. 무능력하고 일 처리가 무사안일형
7. 인사를 잘 하지 않고, 예의도 없는 뻣뻣 무례형
8. 요령만 피우고 입으로만 일하는 뺀질이형
9. 상사의 말에 지나치게 오버하고 아첨하는 아부 가식형
10. 시키는 일만 하고 창의력이 없는 꼭두각시형

"나는 어떤 유형인가?"

직장인 중에는 분명 본인은 위에 해당하는 유형이 아니리라 생각하는 분들이 적지 않을 것이다. 하지만 상사의 생각은 다를 수 있다. 나 자신은 아니라고 생각해도, 상사가 보기엔 나 자신이 저 항목에 해당하는 직원 유형일 수도 있다.

"조직의 성공에 있어서 리더가 이바지하는 것은 많아야 20%, 나머지 80%는 조직을 구성하는 팔로워들에 의해 이루어진다."

카네기 멜론 대학의 로버트 켈리(Rovert E. Kelly) 교수가 그의 저서 '팔로워십의 힘(The power of Followership)'에서 주장한 말이다. 그는 팔로워 유형을 세 가지로 분류하고 있다.
첫째, 소극적이고 수동적인 양(Sheep) 스타일이다. 양은 양치기가 이리 오라고 하면 이리로 오고 저리 가라고 하면 저리로 간다. 상사에게 순응하는 유형이다. 직장인 중에는 이 양 스타일이 많다고 한다.
둘째, 소극적이면서 능동적인 소외자 스타일이다. 소외자는 상사가 지시하면 속으로 불만을 느낀다. 하지만 맡겨진 일은 알아서

해내는 유형이다.

셋째, 적극적이지만 수동적인 예스맨 스타일이다. 예스맨은 하고
자 하는 의지는 넘치지만 창의성이 떨어지고 역량이 부족해 수동
적인 유형이다. 직장 상사들은 소외자와 예스맨 중에서는 예스맨
을 선호한다고 한다.

넷째, 적극적이면서 능동적인 스타(Star) 형이다. 하고자 하는 의
지도 강하고 창의적으로 접근하여 무슨 일이든 일단 해보려 하고
다양한 아이디어를 낸다.

직장 생활을 하다 보면 양처럼 순응하며 눈에 띄지 않고 그냥 묻
어가려는 사람들이 많이 있다. 일부는 앞에서는 순응하는 척하면
서 속으로는 불만을 느끼고 뒤에서 불평하며 살아간다. 시간이 흘
러 승진을 해서 직급이 올라가면 예스맨으로 변하는 경우가 종종
있다. 하지만 어떤 이들은 회사 업무를 자신의 역량을 키우기 위
한 소중한 기회라고 생각한다. 적극적으로 달려들어 때로는 상사
를 설득하기 위해 몇 번씩이나 보고하는 주도적인 삶을 살아간다.

지난날을 되돌아보면 직장인의 길은 조직 내에서 보이지 않는
전쟁이다. 직장에서는 어찌어찌하여 월급을 받으며 생계는 유지할
수 있다. 하지만 기업 발전에 기여하는 20%가 되기 위해서는 적
극적이며 능동적인 사고가 중요하다. 특히 기업의 한 부문을 책임
지는 임원이 되면 세상과 일대일 '맞짱'을 떠야 하는 프로젝트를
만나게 된다. 그렇지 않으면 처절한 대가를 치르게 된다.

"조직의 승패를 가르는 6가지 리더십 유형"

헤이컨설팅 그룹에서 제시하는 6가지 리더십 유형을 보자.
첫째, 지시 명령형 리더는 부하에게 일방적인 명령을 내리고 복
종을 요구한다. 명확하고 강력하게 지시하지만 그 지시의 목적이
나 실천 방법에 대해서는 충분한 설명을 하지 않는다.
둘째, 비전형 리더는 조직의 비전과 방향성을 고려하고 부하가
리더를 따라가고 싶게 만든다. 스스로 생각을 먼저 말하고 부하에
게 동기를 부여하면서 조직을 이끈다.
셋째, 관계 중시형 리더는 인간관계나 조직의 화합을 최우선으로
여긴다. 부하와 우호적인 관계를 맺고 그 결속감을 활용해 조직성
과를 창출하는데 주력한다.
넷째, 집단 운영형 리더는 업무수행 방식이나 사내 규칙을 정하

는 의사결정과정에서 부하를 참여시키고 그들의 동의를 얻는다. 특히 부하의 의견을 구하고 생각을 듣고 아이디어를 모으면서 업무를 진행한다.

다섯째, 규범형 리더는 자신은 물론 타인에게도 엄격하다. 부하에게 철저한 자기관리와 높은 업적 수준을 요구하며 자신이 그 규범을 보이기 위해서 노력한다.

여섯째, 육성형 리더십은 유능한 상담사나 교육가 같은 행동을 한다. 부하가 자신의 장점이나 단점을 내보이도록 도와주고 부하에게 필요한 조언을 구한다.

나는 직장인의 길에 사원에서 중간 관리자를 경험했다. 중간 관리자는 상사와 조직 구성원 사이에서 가교 역할을 훌륭하게 수행하는 능력이 요구된다.

그리고 마침내 대기업 임원과 초고가 보석 그리고 글로벌 기업 한국 대표를 하며 리더로서 조직을 경영했다. 사원에서 상사를 바라보는 시각과 직원이 상사인 나를 어떻게 볼까? 에 대하여 고민을 했다.

인생을 멀리 보자. 이 글을 쓰며 지난날 아쉬운 점이 있다. 중요한 보고에서 상사를 적극적으로 설득하지 못한 점이다. 지금부터 인생을 주도적으로 살아보자. 적극적으로 부딪쳐보자. 나는 내가 생각하는 것보다 강하다.

03 혼날 때마다 성장하다

"아빠, 오늘 회사에서 실수해서 상사에게 엄청나게 야단맞고 화장실에서 펑펑 울었어요."

어느 날 아르바이트를 하고 있던 큰딸이 집에 와서 나에게 하소연을 했다. 내가 20대 때는 어떤 일이든 스스로 할 수 있는 성인이라고 생각을 했다. 막상 큰딸이 대학을 졸업하고 회사에 다니며 아르바이트를 한다니 마음이 아팠다. 마치 어린아이를 물가에 내놓은 기분이랄까. 상사에게 된통 혼이 나고 펑펑 울었다는 말을 듣고 마음이 짠하여 울컥했지만, 입에서는 다른 말이 나갔다.

"그래, 회사란 그런 곳이란다. 회사는 학교도 가정도 아닌 진짜 사회의 전쟁터란다. 직장 상사는 부모나 교수하고는 완전히 다른 존재라는 것 잘 알고 있어야 한다. 아빠도 직장 다니며 상사한테 지적받고 혼나게 야단맞을 때가 많았다. 그런데 오래 지나고 나니 혼나면서 배운 것이 아빠의 실력과 마음을 단단하게 해주었단다. 마음 잘 추스르고 힘내렴."

다행히 딸은 잘 견뎌주었다. 그리고 직장 생활도 더 주도적으로 하기 시작했다. 출근도 정직원들보다 한 시간 정도 더 빨라졌다. 먼저 사무실에 도착해 정리 정돈을 했으며 간단한 청소도 했다. 보통 아르바이트생들은 6시가 되면 칼날같이 정시 퇴근을 했다. 그것은 회사 직원들도 아르바이트하는 본인들도 당연하게 여기는 것이었다. 딸은 퇴근 시간이 되면 직원들에게 "제가 뭐 더 도와드릴 것은 없습니까? 라고 질문을 했다.

딸의 질문을 기특하게 여긴 직원들은 자료 복사나 프린트, 제본 등의 간단한 업무를 맡겨 주었다. 딸은 그런 작은 일들을 최선을 다해서 일했다. 복사할 때도 순서가 바뀐 곳은 없는지 점검하고, 복사가 틀리지 않고 정확하게 되도록 신경을 썼다. 프린트나 제본을 할 때도 정성을 다해서 깔끔하게 했다. 손쉬운 엑셀 작업도 오탈자 실수가 없도록 하려고 애를 썼다. 물론 처음 해보는 업무일 경우에는 실수해서 질책을 받을 때도 있었겠지만 스스로 다짐하며 이겨냈다.

"원래는 3개월 아르바이트생으로 들어갔다. 그런데 회사의 요청으로 1년 인턴으로 연장이 되었다."

이후 업무의 수준도 높아졌다. 딸의 일 처리하는 모습을 본 직원들이 일반적으로 인턴에게 맡기지 않는 시즌별 오더, 세일즈 트렌드 분석, 재고관리, 경쟁사 조사 같은 중요한 업무까지 주었다. 딸은 처음에 그런 업무를 받았을 때 '이건 내가 할 수 있는 일이 아닌데.' 하는 생각을 했다가 '아니야, 모르는 것은 선배님들께 물어보면서 하면 되잖아.' 하며 생각을 바꾸었다. 어느 때는 집에 12시가 다 되어서야 들어오는 날도 있었다. "왜 이렇게 늦었니?" 물으면 "응, 아빠, 오늘은 일이 좀 어려운 것이라 확인할 것들이 많았어."라고 했다.

"쓸모없는 놈들이여, 힘내세요! 학교에서 성공은 인생에서의 성공과 아무 상관이 없습니다,"

세계 광고계의 아버지로 불리는 데이비드 오길비(David Ogilvy)가 한 말이다. 사실, 딸은 대학을 졸업할 당시 취업이 이렇게 어려운 줄 몰랐다. 그래서 허드렛일이라도 하면서 경험을 쌓기 위해 아르바이트생으로 들어간 것이다. 그런 하찮은 일을 최선을 다해서 해냄으로써 불리한 스펙을 뛰어넘을 수 없었던 장벽을 넘은 것이다.

"영문학을 전공했다는 사람이 예의도 모르고 그런 거친 표현을 쓰면 어떻게 하는가?"

멋진 호텔리어의 꿈을 안고 들어간 하얏트호텔애서 프런트 근무를 할 때였다. 입사한 지 얼마 되지 않아 열정은 넘쳤으나 처음 느끼는 현장에서의 긴장감을 떨치기가 힘들었다. 조용하던 전화벨이 울렸다. 얼굴에 미소를 띠며 수화기를 들었다.

나는 "What's the matter with you?(뭐가 문제입니까?) 라고 순간적으로 입에서 나오는 대로 영어를 했다. 오! 이런 세상에! 수화기 저편에서는 내가 잘 알아듣기 힘든 억양의 영어가 쏟아져 들렸다. 언뜻 들으니 부 총지배인이라고 하는 듯했다. 그는 나의 영어 첫 마디를 듣고 감을 잡은 듯했다. 내가 아직 다양한 국적을 가진 사람들이 다양한 억양으로 소통하는 현장 영어에 제대로 적응하지 못하고 있다는 것을 간파했다. 그리고 아주 천천히 쉬운 영어를 써가며 내게 이야기를 했고 나는 나름대로 답변을 하고 통화를 마쳤다.

며칠 후 당직 지배인이 네게 와서 대체 부 총지배인에게 전화로 무슨 말을 했느냐고 물었다. 그러면서 "여기는 프런트입니다. 무엇을 도와드릴까요?" 라고 해야지 하며 눈물이 쏙 빠지도록 호되게 야단을 맞았다. 영어 회화를 대부분 하고 해외여행이나 생활을 그다지 해보지 않은 나의 치명적인 약점이 순간 노출되었다. 이후 나는 영어의 다양한 억양을 들을 수 있도록 많은 노력을 기울였다.

내가 실수나 잘못을 함으로써 '호되게 혼나는 순간', 바로 그 순간이 내가 성장할 수 있는 시작점이 된다. 직장생활하면서 상사로부터 질책을 받거나 혼이 날 때 '참나, 별걸 다 가지고 그러네. 사람이 실수할 수도 있지. 그걸 가지고 꼭 그렇기까지 화를 내야해!' 생각할 수 있다. 그리고 퇴근 후 술을 마시면서 직장 상사를 안주 삼아 씹어대며 넘기는 사람은 그런 비슷한 상황을 계속 반복하게 된다.

누군가로부터 혼이 나거나 질책을 받을 때 '자존심'이란 단어는 지우고 내가 어떻게 성장하여 탁월한 전문가가 될 것인지에 초점을 맞추자.

02 청년들에게 해주고 싶은 인생 좌우명

박지성 선수는 '두 개의 심장' 또는 '산소 탱크'로 불렸다. 하지만 축구 선수로는 치명적인 약점인 '평발'을 지니고도 쉬지 않고 뛰면서 팀플레이를 했다. 그의 자서전' 박지성 마이스토리'를 통해 그는 무릎 연골이 찢어진 상태에서 극심한 통증을 안고 뛰었다고 밝혔다. 또한 선수 시절 한 번도 울지 않았다고 했다. "이기고 지는 게 다반사인 스포츠에서 몇 번의 패배와 실패를 받아들이지 못하면 버틸 수 없었기 때문"이라고 했다. 이렇듯 위기가 올 때마다 그는 '긍정의 자기암시'로 이겨낼 수 있었다고 했다.

나는 롯데면세점에서 잠실점장으로 근무할 때의 어느 판매원의 감동을 주는 일이다. 롯데면세점은 소공점과 잠실점을 운영한다. 지금은 롯데월드 123층 타워가 있어 잠실점이 예전보다 많이 좋아졌다. 당시에 소공동이 명품 브랜드가 많이 입점이 되어 있었다. 상대적으로 잠실점은 불리한 여건이었다.

월말에 판매 실적 결산을 해보면 각진 점의 브랜드별 같은 브랜드의 경우 소공점의 매출이 높게 나왔다. 대다수 브랜드가 비슷한 결과를 나타냈다. 그런데 신기하게도 특정한 한 가지 Y뷰티 매출은 잠실점의 매출이 소공점의 매출을 능가하고 있었다.

나는 그 브랜드의 판매 매니저에게 깊은 관심을 갖고 그를 지켜보았다. 매장 가까이에서 유심히 관찰하기도 하고 개인적으로 만나 어떤 비결이 있는지 대하도 나누면서 그 브랜드의 판매 실적이 높을 수밖에 없는 이유를 알게 되었다.

나를 감동하게 한 것은 그 매니저가 가진 자신의 판매직에 대한 좌우명이었다. 그녀는 다음과 같은 좌우명을 바탕으로 고객 만족을 위해 최선을 다했다.

1. 판매는 나의 천직이다
2. 판매할 때가 제일 즐겁다
3. 나는 고객을 위해 존재한다
4. 내가 이 매장의 주인이다

보통 판매직에 근무하는 사람들은 판매하는 일을 하면서도 자기 일을 부끄러워하는 경우가 많은 편이다. 아무래도 하루 종일 매장에서 고객을 대하고 상품을 판매하다 보면 힘든 일이다. 그러나 이 매니저는 판매를 자신의 천직으로 여겼다. 당당하게 자신의 천직에서 최고가 되고 싶어 했다. 그리고 그는 판매하는 순간을 진심으로 행복하게 느꼈다.

그는 고객이 매장에 들어오면 누구보다 진심으로 반가운 얼굴과 표정으로 고객을 맞이했다. 그리고 고객의 눈과 얼굴, 옷 스타일을 보며 고객에게 적절한 아이템을 찾아서 대화의 물꼬를 튼다고 했다. 그런 다음 고객에게 먼저 상품을 판매하는 것이 아니다. 고객이 먼저 스스로 상품을 편하게 볼 수 있도록 유도했다. 멀리 떨어져서 고객이 상품을 충분히 보도록 시간을 준 다음 고객이 구매 의도를 표현할 시점에 가까이 가서 "무엇을 찾으세요?"라고 묻는다.

지난날 되돌아보면 직장인으로 성공하는 사람들이 가진 핵심 역량은 특별한 것이 아니지만 차별적인 자신만의 역량을 만들어 냈다. 기업은 지속적인 성장을 통한 이익 창출이다.

스티븐 코비의 "성공하는 사람들의 7가지 습관"

그는 수많은 자기 계발 서적을 저술했다. 이책은 성공하는 사람들의 공통적으로 가지고 있는 가장 일반적인 7가지 습관을 다음과 같이 설명하고 있다.

1. 자신의 삶을 주도하라며 본인의 상황에서 스스로 바꿀 수 있는 것을 중심으로 생각하라고 한다.
2. 끝을 생각하며 시작하라며 남들이 죽은 자신의 삶에 대해 어떻게 얘기해 주기를 바라는지가 곧 자신이 최후의 순간 갖고 싶은 이미지가 된다고 한다.
3. 소중한 것을 먼저 하라며 먼저 활동의 카테고리를 중요도와 긴급함과 긴급하지 않음을 중요함과 중요하지 않음으로 구분했다.
4. 윈-윈을 생각하라는 나도, 상대도 모두 행복하게 동반 성장하는 상황을 만들라는 것이다. 승-승, 승-패, 패-승, 패-패의 상황이 있을 수 있다고 한다.
5. 먼저 이해하고 다음에 이해시키라는 많은 사람이 상대방과 대화를 할 때 상대방의 말을 전부 다 듣지도 않고 예단해서 상대방을 이해했다고 여긴다는 것이다. 그래서 상대방을 온전히 이해하라는 것이다.

6. 시너지를 내라는 '1+1은 2'가 아닌 '그 이상을 만들라는 것'이다. 시너지를 위해서는 서로의 차이점을 존중하고, 이분법적인 사고에서 탈피해서 제3의 대안이 있을 수 있다는 것을 받아들이라고 조언한다.

7. 끊임없이 쇄신하라는 우리가 가진 네 가지 차원인 신체적, 영적, 정신적 그리고 지적, 사회적 그리고 감정적인 것을 쇄신하고 단련하라는 것이다.

세상의 모든 것은 처음부터 거창한 것을 창출해야 한다는 욕심을 가지면 압박감이 클 것이다. 갈수록 치열한 경쟁의 시대에 치밀하고 과감한 기획이 중요한 것은 사실이다. 하지만 너무 완벽한 것에 매몰되면 생각이 얼어붙을 수 있다. 작지만 큰 돌파구를 만들 수 있도록 작은 것에 충실하면 좋겠다.

그래서 이 불리한 환경에서 좋은 조건의 영업점의 매출을 이긴 판매원의 소중한 좌우명과 이 스티븐 코비의 온전한 7가지 습관으로 세상에 없는 기회를 만들자.

05 행운도 준비한 자의 것이다

"아들아... 창피하구나."

26살 청년의 삶을 통째로 바꾸게 해준 아버지의 한마디였다. 초등학교 때 선생님께 손을 들고 화장실에 가고 싶다는 말을 할 용기가 없어 그냥 바지에 똥을 싼 적이 있다는, 밝히기 어려운 고백을 했다. 고등학교 때는 50명 중에 40등 밖으로 돌았고, 전문대를 다닐 때는 PC방과 노래방 그리고 술집을 전전했다고 한다. 전문대 졸업을 앞두고 취업이 두려워 다시 수능을 쳐 겨우 4년제 지방 사립대 경영학과에 합격했다.

그렇게 스물여섯 살이 되던 어느 날, 택시 운전을 하며 성실히 가족 부양을 했던 아버지, 그동안 아들에게 단 한 번도 상처를 주는 말을 해본 적이 없던 아버지가 청년에게 처음으로 했던 아픈 말 한마디가 바로 '아들아... 창피하구나'였던 것이다.

청년은 그 한마디를 들은 날부터 자신의 모든 것을 바꾸기로 했다. 그리고 그동안 전혀 생각하지 못했던 일들에 도전하며 자신의 꿈을 '준비'하기 시작한다. 대학생으로 꿈을 준비하기 위해 현실적으로 할 수 있는 것으로 공모전을 선택했다. 그는 그때까지 공모전에 관해 관심을 가져본 적이 없었다. 인생을 왜 살아가야 하는지에 대한 동기가 없었다. 그러나 이제는 잘랐다. 나를 위해 저렇게 평생을 고생하신 아버지가 아들에게 대한 창피함을 안은 채 남은 인생을 살게 해드릴 수는 없었다.

첫 공모전은 보건복지부 대학생 금연 응원단이었다. 생전 처음이라 모든 그것이 낯설고 어떻게 해야 할지 감이 없었다. 그래서 일단 최대한 많이 뛰고 많이 만나고 많이 홍보하는 것으로 목표를 잡았다. 다른 학생들이 책상 앞에서 아이디어를 찾느라 고심하고 있을 때 3개월 동안 학교 부총장, 학생처장, 학생 지원팀장, 장학복지팀장, 경영 학장, 비서실장, 총학생회장, 총동아리연합회장, 보건소 소장 등 거의 모든 기관장을 만났다고 한다.

그리하여 금연 장학금 도입 적극 검토, 금연 인센티브 확정, 매점 내 담배 판매금지 적극 검토, 금연구역 흡연 구역 지정 적극 검토, 금연서약서 1,300장, 금연 인식고 설문 조사 500장, 금연 현수막 부착 3개, 금연서약서 제작 4편, 전국 캠퍼스 금연 현황 조사 등의 성과를 냈다. 결국 1등으로 선정되어 보건복지부 장관상을 수상했다.

"날개가 없다. 그래서 뛰는 거다."

바로 이 김도윤 청년의 이야기다. 이 책은 열악한 스펙으로 고민하는 청년들에게 큰 희망을 주었다.

나는 대학을 졸업하고 취업할 당시 나의 스펙으로는 국내 대기업에 서류 전형조차 통과하기 힘든 상황이었다. 힘들었다. 재수하고 2차 후기 대학에 들어갔다. 하지만 청천벽력 같은 질병으로 1년 동안 병치레를 하며 졸업하는데 변변한 기업에 취업원서조차 내기 힘든 상황이라는 것이 부끄럽기도 했다. 어느 날 지인으로부터 하얏트호텔에서 신입 사원을 채용한다는 소식을 듣게 되었다. 글로벌 기업이라 입사 채용 조건에서 영어 실력을 중요한 평가 요인으로 꼽을 수 있겠다는 생각이 들었다.

어차피 대기업에 들어갈 수 없다면 글로벌 기업에 승부를 걸어야 하는 막바지 상황이었다. 나는 하얏트호텔에 대해 수집할 수 있는 가능한 정보를 알아보았다. 이력서도 정성을 다해 준비했다. 그리고 영어 면접에 대한 준비를 철저히 했다. 나는 어 이상 물러설 곳이 없다는 심정으로 면접 시 나올 수 있는 질문 수십 개를 뽑아 나만의 답변을 작성했다. 그리고 수없이 반복하며 자연스럽게 대답이 나올 수 있도록 연습했다.

첫인상을 좋게 하려고 거울을 보고 밝은 표정을 짓기 위해 끊임없이 미소를 훈련했다. 호텔은 전 세계에서 방문하는 다양한 고객을 상대하므로 친절하고 따뜻한 미소를 가진다면 크게 어필이 될 수 있을 거라 생각했다.

객실 예약부장, 호텔 부 총지배인과 총지배인의 최종 영어 면접을 정신없이 마쳤다. 그리고 얼마 있다가 함께 일해보자는 연락을 받았을 때, 나도 모르게 두 눈가에 눈물이 고였다. 화려한 스펙을 가진 사람들이 보기에는 별 것 아닌 일에 호들갑이라고 생각할지 모르지만 내게는 절실했다. 간절했다. 꼭 합격하고 싶었다. 누구나 부러워하는 국내 대기업에 취업하지 못했으나 글로벌 기업에 합격하여 부모님의 마음도 안심시켜드릴 수 있어 뿌듯했다. 지금 되돌아보면 내가 대학 시절에 외국인 선교사님과 오랫동안 영어 바이블을 배우고 외국인을 대하는 습관을 나도 모르게 배운 것이 아닌가 생각이 된다.

롯데 그룹 고 신격호 회장님의 공부하라, 책을 읽어라!

신격호 회장님은 1941년 관부 연락선을 차고 일본 시모노세키항에 도착했다. 일본 도쿄에 입성한 그가 가장 먼저 관심을 가졌던 것은 공부였다. 그는 스기나미구 코엔지 거리에 다다미방 하나를 빌려 자취를 하면서 와세다 중학 야간부에 입학했다. 이처럼 신격호식 성공법의 시작은 공부에 열중하는 것과 책을 가까이 한 것이라 한다. 시간이 나면 간다. 거리에 헌책방을 찾았다. 그곳에서 읽고 싶은 책을 구입하고 밑줄을 그어 가며 독파했다고 한다.

누구에게나 평생 세 번의 기회가 온다고 한다. 그러나 그 기회는 준비하지 않는 자에게는 무용용지물일 뿐이다. 행운이 행운으로 될 수 있었던 것은 바로 '공부라며 준비'했기 때문이다. 지금 당장 준비되지 못했다면 지금부터 공부하며 준비하면 된다.

지방대 출신으로 대한민국 인재상을 수상하고 외국계 광고 회사에 정직원으로 입사했던 김도윤 청년처럼. 처음에는 무조건 많이 뛰고 다녀야 한다. 그렇게 움직여 준비되었을 때에야 비로소 행운은 나의 것이 된다.

06 결정적 위기의 순간에도 기지를 발휘하다

선글라스를 끼고 화려한 귀걸이와 목걸이를 걸친 오드리 헵번이 택시에서 내린다. 그녀는 몇 걸음 걸어 휘황찬란한 보석들이 전시된 보석상의 유리창 앞에 서더니 손에 든 봉투에서 크루아상 빵을 꺼내 한 입 베어 먹고 커피를 마신다. 그리고 고개를 갸웃거리면 보석상 내부의 보석들을 바라본다.

제34회 아카데미 시상식에서 음악상과 주제가상을 받았으며 로마의 휴일과 함께 오드리 헵번의 대표작으로 손꼽히는 영화 '티파니에서 아침을'에서 명장면으로 꼽히는 오프닝의 한 장면이다. 이때 영화에서 나왔던 보석상이 바로 뉴욕 5번가에 있는 티파니 보석상이다.

살아가면서 중요한 분야는 100% 확신까지 철저한 준비가 필요하다.

나는 1990년 미국보석학회에서 보석 감정사 자격증을 취득하고 돌아온 직후 티파니 보석을 구매하기 위해 미국 출장을 떠났다. 그때 당시 나는 연수를 마치고 귀국한 지 얼마 되지 않았으므로 학생 신분 비자를 그대로 보유하고 있었다. 나는 인사담당자에게 출장을 가게 되면 새로운 비자가 필요하지 않으냐고 문의를 했다. 담당자는 미국보석학회에서 연수를 마치고 복귀한 지 얼마 되지 않았고 보석 관련 업무로 가는 것이니 비자를 그대로 사용해도 괜찮을 것이라고 했다. 나 또한 별다른 생각 없이 그대로 출국했다.

출장은 사장과 가장 그리고 내가 함께 떠났다. 뉴욕 JFK공항에 도착해 입국 허가신고를 하기 위해 입국심사대 직원에게 비자를 내밀었다. 그 직원은 내 비자를 살펴보더니 얼굴이 굳어졌다. 그리고 이렇게 말했다.

"You must return to Korea(당신은 한국으로 돌아가야 합니다.)"

"한국으로 돌아가야 한다.?"라는 말에 순간 내가 비자를 더 정확히 체크를 하지 못했구나 하는 불안한 생각이 떠올랐다. 이 무슨 날벼락 같은 소리인가? 사장과 과장은 티파니 측에서 픽업을 나와 기다리는 사람들이 있어 이미 입국심사대를 빠져나간 뒤였다. 내가 망연자실하여 어쩔 줄을 몰라고 하고 있으니 입국심사대 직원이 대한항공 직원을 불렀다. 그리고 그를 통해서 기업에서 출장을 온 사람이기 때문에 내가 출장요 비자를 소지해야 한다고 알려주었다.

변곡점에 선 위기를 극적인 기회로 만드는 지혜!

나는 그냥 한국으로 돌아갈 수 없었다. 내가 보석 오더 관련 서류를 모두 갖고 있었기 때문이다. 이대로 돌아가게 되면 출장은 나로 인해 완전히 망치고 마는 것이다. 나는 이 위기를 빠져나갈 방법이 무엇일까 절박하게 생각하고 생각했다. 아! 간절하면 통한다고 했던가? 갑자기 한 아이디어가 떠올랐다. 나는 입국심사대 직원에게 "나는 미국의 보석상에 많은 보석을 구매하러 온 사람이다. 미국 달러 현금으로 큰 금액을 지불하러 왔다."라고 심각한 표정으로 말을 했다. 그러자 그가 눈이 위 둥그레지며 말했다.

What? UDS Cash?(뭐라고요? 미국 달러?)

나는 즉시 가방에서 티파니 보석 오더 관련 서류를 그에게 건네며 확인해 보라고 했다. 그는 서류를 자세히 살펴보더니 전화를 걸었다. 티파니 본사네 직접 확인 전화를 한 것이다. 전화 통화를 하는 그의 표정이 다소 누그러지는 것을 느낄 수 있었다. 통화를 마친 그가 "당신은 정말 운이 좋은 사람이다. 행운을 빈다."라고 하며 입국을 허가해 주었다.

나는 가슴을 쓸어내리며 "휴..."하고 안도의 한숨을 내쉬었다. 그리고 바로 사장과 관계자들이 기다리고 있는 곳으로 쏜살같이 달려갔다. 밖으로 나오니 사장과 과장 그리고 티파니 일행들이 무슨 일이 있었느냐며 걱정스러운 표정으로 물었다. 내가 입국심사대에서 있었던 자초지종을 이야기하니 그들 모두 환하게 웃으며 지혜롭게 잘 대처했다고 박수해주었다.

다음 날 설레는 마음으로 티파니 본사에 방문했다. 건물 외벽이 회색 대리석으로 되어 있고 웅장함을 뿜어내는 느낌이었다. 건물에 들어서자마자 나의 눈을 잡아끈 것은 정문 진열장에 전시된 눈부신 보석들이었다. 미국보석학회에서 보석 공부를 하면서 책에서 사진으로만 봤던 보석들이었다. 전통적인 티파니를 상징하는 민트블루 색상 박스가 그곳에 놓여 있었다. 하얀 리본으로 장식된 다양한 보석들이었다. 마치 보석 분야에서 티파니의 권위를 상징하듯 모든 사람의 눈길을 사로잡도록 화려하게 진열이 되어 있었다.

보석 상품 오더가 끝나자 그들은 저녁 식사에 우리를 초대해주었다. 그리고 식사 후에 세계 최고의 뮤지컬로 꼽히는 '캣츠'를 관람시켜 주었다. 브로드웨이 현장에서 보는 뮤지컬 캣츠는 그야말로 감동 그 자체였다.

내가 만일 공항 입국대에서 비자 문제로 다시 한국으로 돌아가야 했다면 그런 감동은 맛볼 수 없었을 것이다. 인생에서는 전혀 예상하지 못했던 위기의 순간이 갑자기 들이닥칠 때가 있다. 바로 그때 그 상황에 그대로 굴복해버리면 안 된다. 모든 일은 사람이 하는 일이다. 그 위기와 관련된 사람의 마음을 움직일 수 있다면 일반적인 절차를 떠나서 문제를 해결할 수 있는 경우가 많다.

하늘이 무너져도 솟아날 구멍은 있는 것이다.

PART 04

불리한 환경이 준
인생 선물

01 헤드헌터 채용 정보와 친해져라

지금 바로 여러분이 머릿속에 취업한다고 가정을 해보자. 어떤 기업이 먼저 떠오르는가? 대학생, 취준생 등이 취업을 준비하거나 구직활동을 하려면 먼저 내가 가고자 하는 곳의 취업 공고에 늘 관심을 가져야 한다. 일반적으로 취업의 종류는 크게 대기업, 글로벌 기업 그리고 중견 기업 등으로 나눌 수 있다.

나는 32년 직장인의 길에 5번의 이직을 했다. 대학 졸업 후 하얏트호텔에 들어갈 때는 지인이 채용 정보를 주어서 부 총지배인과 총지배인까지 힘겨운 영어 면접을 하고 취업을 했다. 롯데면세점으로 이직을 하던 때는 신문에서 롯데월드 그룹 공채 기사를 보고 응모를 했다. 영국의 초고가 G 보석은 한국에 매장을 개점한다는 소식을 듣고 영국 본사에 직접 채용에 대한 정보를 얻었다. 글로벌 기업 D 면세점의 채용 정보는 헤드헌터에서 연락을 받았다. 중견 기업으로 갈 때는 지인의 추천을 받았다.

글로벌 기업이나 해외 명품 브랜드에 들어가려면 공식적인 채용 정보보다는 해당 분야에 근무하거나 연관이 있는 분에게 채용 정보를 구할 수 있다. 내가 헤드헌터 같은 곳에 이력서를 넣어서 채용 정보를 구하는 것이 필요하다. 저의 큰딸은 명품 브랜드에 근무하는 지인을 통해서 아르바이트생으로 채용할 수 있다는 정보를 얻었다. 명품 P 브랜드에 갈 때는 마침 필요한 직급의 자리가 공석이 되어서 다시 지인의 추천을 받아서 이직했다. 신세계 그룹 대기업에 이직은 대기업의 그룹 홍보사이트를 통해서 경력 패션 브랜드 출신 채용을 한다는 정보를 얻어서 응모했다. 세계 최고의 잡화 루이비통에 이직은 명품 브랜드에 근무하는 임원을 통해서 채용 정보를 얻었다.

이처럼 취업 정보는 다양하기에 나에게 맞는 취업 정보에 친해져서 채용 정보를 놓치지 말아야 한다.

대기업은 한꺼번에 계열사 전체 인원을 채용해야 하니 서류전형을 통해서 1차 면접자를 선정한다. 대기업은 그룹이나 계열사의 홈페이지에 채용 공고를 내기 때문에 취업을 앞둔 취준생을 수시로 내가 가고 싶은 기업의 홈페이지를 보면 된다. 채용 규모가 크다 보니 대체로 1차 합격자는 스펙 위주로 서류전형을 하는 편이

높다. 글로벌 기업은 전 세계 해외 법인들이 많기에 해당 지역의
법인 인원만 채용하기에 수시 채용을 하는 경향이 높다. 중견 기
업은 잡코리아 같은 헤드헌터에 채용 공고를 올린다. 그래서 내가
취업을 하려면 내가 원하는 방식에 따라 취업 준비를 하면 좋다.

채용 공고 구직 사이트를 이용하는 것도 필수 사항이다.

채용 방식에 따라 여러 가지 종류의 사이트가 있다. 예를 들면
사람인 사이트는 채용 정보부터 기업 및 연봉 정보 등의 채용 공
고를 알 수 있는 구직 정보 사이트이다. 잡코리아는 채용 정보 및
공채, 헤드헌팅뿐 아니라 기업의 연봉까지 알 수 있는 유용한 사
이트이다. 인쿠르트는 채용 정보 및 신입 공채, 맞춤 정보와 연봉
뿐 아니라 자소서에 도움이 되는 글자 수 세기와 맞춤법 검사 등
의 추가적인 서비스를 제공한다. 커리어는 '취업이 이뤄진다.'이직
이 이뤄진다'를 내걸고 운영되는 채용 정보 사이트이다. 나라일터
는 공공기관과 공무원 대한 채용 정보를 제공한다. 링크드인은 세
계 최대의 비즈니스 전문 소셜 미디어 플랫폼이다. 페이스북 등의
다른 네트워크와는 다르게 특정 업체 사람들이 서로 구인구직, 동
종업계 정보를 팔로잉하는 사이트이다.

기업에 대한 채용 정보 사이트가 있다. 잡플래닛은 취준생과 직
장인들을 위해 만들어진 기업 리뷰 사이트로 직장인들이 남긴 기
업에 대한 리뷰, 솔직한 후기를 취준생들이 입사 전에 참고하면
좋은 사이트이다. 피플앤잡은 외국계 기업 전문 채용 정보를 제공
하며 국내가 아닌 외국계 기업으로 취업을 희망하는 사람, 취준생
이라면 곡 알아두어야 할 사이트이다. 취업 준비 필수 사이트로
네이버 카페 독취사나 자소설닷컴이 있다.

"이직할 때 어떤 점을 가장 중요하게 생각할까?"

'인재모아'에서 회원 350명을 대상으로 설문 조사를 했다. 전체
통계를 보면 복리 후생이 가장 중요하다는 내용이 32%였다. 다음
이 연봉을 고민한다는 부분이 24%이고 이직할 기업의 규모와 안
정성에 대한 고려가 10% 순이었다.

이를 다시 연령별로 보면, 20~30대 주니어세대는 경력개발, 발
전 가능성을 우선적으로 고려했다. 그리고 근무지와 근무시간 등
의 근무여건을 중요한 것으로 간주했다. 반면 40~50대의 중장년

층은 연봉과 안정성을 고려했다. 그리고 회사 분위기나 기업 문화를 고려한다는 순이었다.

나는 32년 직장인의 길에 글로벌 기업, 대기업 그리고 중견 기업에 근무했다. 대기업은 아무래도 규모가 큰 조직이니 근무여건도 좋고 급여나 모든 것이 좋은 편이었다. 글로벌 기업은 내가 스스로 일을 찾아서 하는 스타일이다. 그리고 본사가 해외에 있다 보니 업무가 좀 자유롭고 상하 간에 대기업처럼 뚜렷한 보고 체계가 아니다. 중견 기업은 조직이나 시스템보다는 사람에 의해 일을 하는 편이며 급여 체계 등이 대기업이나 글로벌 기업처럼 내부적으로 전해진 것이 아니라 그 사람의 능력에 따라 책정이 되는 것을 경험했다.

지금부터 미리 내가 일할 수 있는 직업이 어떤 것들이 있는지 여러 가지 채용 사이트를 통해서 미리 확인해 보자. 내가 어느 직업에 잘 어울리는지 어느 기업에 가서 일할까 봐 한번 곰곰이 생각해 보자.

02 꿈을 향한 튜닝 타이밍!

'삶에는 어떤 흥분이 이어야 한다. 일상은 그저 지루한 일이나 연속만이어서는 안 된다. 어제 하던 일을 하며 평생을 살 수 없는 것이 바로 격랑과 같이 사나운 지금이다. 부지런함은 미덕이지만 무엇을 위한 부지런함인지가 더욱 중요하다.

평생을 한 직장에서 일하면 정년퇴직을 할 수 있었던 시대를 종언시킨 IMF 사태를 겪은 직후, 직장인들의 뇌를 좀비처럼 내리치며 정신 차리라고 외치는 것 같았던 **구본형 선생의 '익숙한 것과의 결별'**에 나오는 말이다.

그렇다. 한 직장에 들어가 해당 업무에 익숙해지면 모든 것이 편하고 수월하기에 그곳을 떠난다는 것은 본능적으로 어려운 일이다. 하지만 익숙함에 젖어 들어 이제 바깥세상은 어떻게 돌아가는지도 모르고 나른 일은 할 수 없게 되었을 타이밍에 불쑥 날아온 권고사직이나 구조조정 카드를 받아들었을 때의 황망함을 달래기는 더 어려운 일이다.

꿈을 향해 가는 여정에 이직의 타이밍이 분명히 존재한다. 물론 그 타이밍은 오롯이 본인이 판단할 몫이다. 직장 생활을 시작한 사람에게는 몇 가지 진로 옵션이 있다.
첫째. 먼저 그 회사에서 정년퇴직할 때까지 승진하거나 버티는 것이다. 가장 아름다운 모습은 대표이사까지 진급하여 CEO로서 멋지게 퇴직을 하는 것이다. 그러나 이런 화려한 은퇴는 극히 소소의 경우에 한한다.

둘째, 다른 직장으로 이직하면서 승진을 해가는 경우이다. 이때도 리스크는 따른다. 막상 이직했는데 전에 근무했던 회사보다 못한 경우도 종종 있기 때문이다. 잘 되었을 때는 좀 더 좋은 조건과 환경에서 일하며 자신의 역량과 경험을 쌓을 기회가 된다.

셋째, 직장 생활을 어느 정도 하고 난 후 창업을 하는 것이다. 창업을 통해서 사업가로서 성공해서 화려하게 조명을 받는 일도 있다. 하지만 많은 사람이 초기에 실패를 경험하고 인생의 바닥으로 추락하곤 한다. 성공한 사람들은 사회에 많이 알려지지만 실패한 사람들은 말이 없기에 실패에 대한 위기의식이 없이 창업에 도전하는 사람들이 꽤 많은 것이 현실이기도 하다.

살아가면서 한 번 지나가면 돌이킬 수 없는 불가항력적인 인생의 특성상 가장 조심해야 할 것이 있다. 바로 '익숙함에 속아 인생의 후반부를 망치는 것'이다. '소년급제'라는 말이 있다. 옛날에 너무 어린 나이에 과거시험에 합격하여 관직에 올라 중년이 되어 뜻하지 않은 시련을 만나게 된다는 말이다. 인생의 전반부를 아무리 화려하게 살더라도 조기 퇴직으로 인생의 후반부에 일터가 없다면 무기력한 인생을 갈게 될 것이다. 공무원의 경우 고시 출신들은 승진의 시기를 일찍 경험하게 된다. 일정 승진까지 올라가면 승진이 불가하여 정년이 되기 전에 그만두는 경향이 있다.

"직장 생활을 잘하려면 늘 깨어 있어야 한다."

업무가 익숙해진 나머지 관성과 타성에 젖어 그저 기계적으로 일을 하고 있지 않은가 자신을 되돌아보아야 한다. 만일 그렇다면 회사에 자신이 먼저 건의하여 부서를 옮겨 달라고 하는 것이 좋다.

예를 들면 총무부에 오래 있었으면 과감하게 영업부로 보내 달라고 해보라. 영업부서에 오래 있었다면 관리부서에 근무하게 해 달라고 요청해 보라. 새로운 부서에 새로운 업무를 하면서 스스로 긴장감을 가질 때 정신이 깨어난다. 그리고 조직에 어떤 변화가 오더라도 본인이 적응하고 선택할 수 있는 옵션이 많아진다.

만일 조직 내에서 그러한 변화를 경험할 수 없다면 두렵지만 새로운 곳을 알아보는 것도 필요하다. 지난 시절 IMF와 금융위기, 코로나 19사태에 이르기까지 이제는 삶의 환경이 내가 지금 있는 곳에서 나를 끝까지 안전하게 책임져줄 수가 없는 상황이다. 개인이 스스로 준비해야만 한다. 그저 조직에 의지하고만 있다가 그 조직조차 흔적도 없이 사라지는 경우가 많기 때문이다.

코로나 19를 통해서 급격한 외부 환경의 변화에 연관된 항공사나 여행사 같은 대기업도 어려운 상황을 만나 많은 직원이 한꺼번에 그만둔 사례를 보았다. 나는 32년간 5번의 이직을 통해서 비교적 안정적으로 직장인의 길을 마쳤다.

대다수 직장인은 퇴직하면 무엇을 할까 고민을 하고 결정을 하기 어려운 경우가 있다. 내 고등학교 친구 중에 가까운 사이로 모임을 하는데 퇴직 후 아직도 할 일이 없어서 지내는 것을 보고 너

안타깝다는 생각이 들었다. 유통업 대기업에 근무하고 현대자동차에 부품을 납품하던 회사, 학교를 교감 선생으로 마치고 유리를 취급하는 대기업에서 퇴직했다. 1인 창업을 하려면 여러 가지 조건이 맞아야 한다.

나는 퇴직자 시니어로 감사한 것이 있다. 퇴직 후 '사실, 당신이 보석입니다' 책을 냈다. 다음 해 1990년 롯데면세점에서 경험한 보석 취급 경험으로 1인 온라인 주얼리 창업을 했다. 그리고 창업 경험으로 온라인 창업 강좌 개설을 했다. 누구나 나만의 다양한 콘텐츠를 통해서 지식 창업이 가능하다. 나와 큰딸은 대학 졸업 후 대기업 취업이 불가했다. 나는 다행히 하얏트호텔에 들어갔다. 하지만 딸은 아예 취업이 불가했다. 그래서 아르바이트로 시작을 하여 신세계 그룹 대기업과 세계 최고의 잡화 기업 루이비통에 경력직으로 이직을 하였다. 현재는 보석 전문가의 길을 준비하려고 프랑스의 명품 보석 부쉐론에 근무를 하고 있다. 저와 딸의 취업 스토리를 취업 관련 전자책으로 낸 것이다.

도약을 위한 꿈을 향해서 일직선으로 나아갈 수 있는 경우는 거의 없다. **순간순간 꿈을 향한 개조의 타이밍은 조율이 필요하다.** 가슴이 뛰는가? 설렘이 있는가? 어떤 흥분이 있는가? 이 질문에 모두 아니라고 답한다면 이제 이직을 해야 할 단계인지도 모른다. 새로운 변화를 모색하는 단계 말이다.

02 회사 밖은 전쟁터, 함부로 사표를 던지지 마라

사람은 '하루에도 오만가지 사소한 생각을 한다.'라는 말이 있다.

살아가면서 너무 익숙한 생각들이다. 작은 것에 감사하기보다는 힘든 것에 불평하는 마음이 앞선다. 주어진 상황에 만족하는 것보다는 불편함에 불만족스러운 마음이 나를 힘들게 한다. 내가 스스로 내 주변의 모든 것을 평가하고 간섭하는 데 얼마나 마음과 감정의 에너지를 소모한다.

직장인의 길을 걷다가 보면 다양한 직급 체계가 어우러져 있다. 누구나 처음에는 낮은 단계에서 시작하게 마련이다. 이때 내가 처신을 잘해야 한다. 출근하면 상사와의 관계 그리고 업무상 부닥치고 만나는 이해관계자 등과 회사를 대신하여 일하다 보면 이해 충돌로 하루가 무기력해지기 쉽고 힘든 날이 있다.

잡코리아가 2011년 직장인 526명을 대상으로 업무에 대한 의욕을 잃거나 회의를 느끼는 '직장 생활 무기력 증후군'에 대해 조사했다. 그 결과 설문에 참여한 직장인 중 90.3%가 무기력증 증후군에 시달린 경험이 있다고 하는 자료가 있다. 일에 대한 의욕이 떨어져 만사가 귀찮다가 34.7로 1위였다. 업무상 스트레스 등 회사 관련 일로 출근을 기피하는 현상이 27.6%로 2위였다. 그 외 모든 일에 예민하게 반응하는 신경과민이 15.8%, 적성과 맞지 않아서 이직이나 창업 고려가 12.9%, 삶에 대한 회의감이 7.8% 등이었다고 한다

내가 원해서 들어간 곳에 시간이 지나면서 적성이 안 맞거나 하여 슬럼프가 올 때가 있다. 나에게도 첫 직장 하얏트 호텔을 기분 좋게 들어갔지만 이후에 야간 업무와 근무를 마치고 대학원을 가서 공부하는 것은 체력적으로 여간 힘든 일의 연속이었다. 더구나 시간이 가면서 나에게는 하루 출근길이 즐겁지가 않았다. 하지만 이 순간을 견뎌야 했다

직장인으로 살아있는 여정에는 내가 정한 목표로 가기 위해 뜨거운 열정을 가져야 한다. 목표가 없으면 하루가 힘들어진다. 성장할 수 있는 방향을 틀 수 있는 노력이 필요하다. 그래서 일단 직장에 들어가면 내공이 어느 정도 필요하다. 내가 추진하던 일이 이루어지지 않아서 창의적인 좌절을 만나는 경우가 있다. 하지만 속상해

하지 말자. 벽돌 한 장 쌓아서 건물이 된다. 나는 이 책을 쓰면서 처음으로 솔직히 고백한다.

"나의 목표가 이루어지지 않았을 때 함부로 사표를 던지지 말자."

대기업은 기업마다 약간의 차이가 있다. 하지만 내가 근무하던 롯데면세점은 '이사 대우'를 달고 일정 기간에 '대우' 직급을 떼지 못하면 그만두는 경우가 있다. 대기업 임원이 되어 직장인의 길에 자존감도 생기고 모든 것이 순조로운 출발을 했다. 하지만 3년 차에 '대우' 직급을 떼지 못하고 난처한 상황을 만난 것이다. 회사에서 다행이 1년 근무는 보장을 받았지만 내년에 앞날을 알 수 없자 하는 일이 즐거움이 급격히 줄었다.

공교롭게도 영국의 초고가 G 브랜드 보석이 한국에 들어온다는 정보를 얻었다. 나는 내년에 승진이 안 되어서 사직을 하게 되는 불안한 상황을 만나기가 두려웠다. 이 힘겨운 상황을 가족과 먼저 협의를 했다. 집에서 난리가 났다. '여보 왜 당신이 잘못한 것도 없는데 그 안정적인 자리를 미리 사직을 하느냐?'며 나를 설득했다. 가장 가까운 친구에게 다시 협의를 했다. 친구 역시 이렇게 이야기를 했다. '친구야 갈 곳이 정해져야 사직을 내지 왜 미리 사직을 하느냐?'며 아내와 같은 반응이었다.

다음 날 아침 정신이 멍한 상태에서 출근길은 유독 몸과 마음이 힘들었다. 대표이사를 만나서 거짓 핑계를 만들어서 사직을 해야 한다는 결정을 했다. 갈 곳이 정확히 정해지지 않은 상황에서 미리 사표를 쓴 것이다. 새로운 보석 브랜드의 한국 대표 채용이 이루어지기까지 정말 살얼음판을 걸어가는 심정이있다.

천만다행히 면접을 잘하고 새로운 곳으로 한국 대표라는 직급으로 이직에 성공은 했다. 하지만 연봉 등 여러 가지 계약 조건 협의에서 불리한 상황을 초래했다. 내가 기존의 모든 조건보다 좋은 조건을 받아내기가 어려웠다.

만약 여러분이 힘든 상황에 부닥쳤다고 가장을 해보자. 지금 당장 그만두면 미래가 보장을 받았는가? 그렇지 않을 것이다. 철저하게 준비하고 정말 완벽한 때가 되었을 때 회사를 그만두어야 한다. 그래야 실패가 아닌 내가 원하던 방향으로 승리의 경험을 쌓을 수 있어야 한다.

당장 미래가 불투명하다고 직장을 이직하고 싶다면 먼저 자기 극복을 위해 새로운 곳이 확정되가까지 무기력증에서 벗어나야 한다. 그런 다음에 유리한 조건으로 이직을 준비하고 여유롭개 실행을 해도 늦지 않다.

미래가 불투명하다는 핑계로 업무에 대한 성과가 나지 않을 수 있지만, 반대로 다가오지 않은 불안감으로 무기력해지는 경우가 있다. 지금 이 글을 쓰면서 가만히 생각해보니 함부로 사직은 절대 하면 안 되다는 이유가 분명해진다.

내가 지금 근무하고 곳에서 하는 일이 당신에게 기쁨을 준다면 과연 신이 내린 직장일까? 이런 직장인이 얼마나 될까? 이직을 결정하기 전에 고려할 사항이 있다. 나의 생계유지나 경제적 안정과 밀접한 연봉과 복리 후생이다. 이어 기존의 업무와 일의 강도가 지나친가? 회사 내 나의 존재감? 새로운 일은 내가 부닥쳐 봐야 업무의 만족감을 판단할 수 있다. 그래서 적성에 잘 맞는지? 그밖에 체력적인 한계와 새로운 곳에서 직원과 상사와 원만한 소통이 잘 되는지? 등등을 잘 심사숙고 해야 한다.

이직을 앞두고 있다면 사표를 쓰기 전에 내가 갈 곳을 철저히 마련하고 사표를 던지는 것이 최선이다.

04 세계 최고 명품 보석 유치 사업이 달랑 책상 두 개

"1913년 12월 17일"

인류 최초로 인간이 하늘을 나는 비행에 성공한 날이다. 주인공은 라이트형제였다. 형제의 이 비행 성공으로 오늘날 우리는 전세계 어디든 비행기를 타고 여행을 할 수 있게 되었다.

라이트 형제가 비행을 연구할 당시 사실은 경쟁자가 있었다고 한다. 그의 이름은 사무엘 피어폰 랭리. 하버드 대학교를 나왔고 최고의 지성인들의 모임인 스미스소니언 협회 회원이었으며 미 육군성에서 5만 불을 지원받았다고 한다. 그리고 그의 주변에는 당시 최고의 기업인들과 교수진들이 있었다.

뉴욕타임스를 비롯한 언론인들은 당연히 랭리가 비행기를 세계최초로 발명해낼 것으로 예상했다. 그러나 결과는 아무런 지원도, 세상의 관심도 받지 않고 자전거 수리를 하면서도 비행에 대한 꿈과 열정으로 도전했던 라이트 형제가 해내고 말았다. 랭리는 이 소식을 듣고 바로 비행 연구를 접었다고 한다.

이 강연을 듣다 보니 나도 롯데면세점에서 보석 사업부에 발령을 받았을 때 생각이 났다. 당시에 나는 화려한 외양을 갖춘 호텔에서 반복되는 업무에 무기력감이 와서 간절히 바라던 대기업 롯데월드로 극적으로 이직에 성공했다. 그런데 내가 영어가 가능하다는 이유로 전혀 예상하지 못한 면세점으로 배치를 했다. 나는 비록 경력이었지만 새로운 직장에서 생소한 업무에 대한 긴장감과 설렘을 안고 시작을 했다. 내가 처음 맡게 된 업무는 해외 명품 보석을 유치하는 일이었다.

호텔 프런트에서 접객 위주의 업무를 하다가 갑자기 '보석'이라는 전혀 처음 접하는 분야의 일을 맡게 되니 적잖이 당황스러웠다. 당시 면세점에는 해외 브랜드를 수입하는 수입품과 국내 상품을 취급하는 토산품 두 개의 부서가 있었다. 유통업이고 명품을 취급하는 곳이라 수많은 거래처가 수시로 방문하며 늘 북적대고 활기찼다. 기존 직원들과 함께 일을 해본 경험도 없는 나를 포함한 단두 사람이 그 업무를 추진해야 했다. 업무는 '해외 명품 보석 사업 유치'라는 거창한 프로젝트 이름으로 진행되었지만 정작 사무실 구석에 달랑 책상 두 개밖에는 준비된 것이 없었다.

나는 경력직으로 들어왔기에 밑에 사무 업무 보조하는 직원이 있을 것이라고 기대했지만 그렇지도 못했다. 모든 것을 직접 새로 찾아내고 만들어야 하는 상황이었다. 회사에서도 처음 해보는 프로젝트라 그 업무 프로세스에 대해 아는 사람은 수입품 과장과 영업점 부장뿐이었다.

잠시 난감했다. 이전 직장에서 어느 정도 일이 익숙해지면서 반복되는 업무에 나 자신이 안주해 뒤처질까 봐 선택했던 이직이었다. 헌데 새 직장의 모습은 나의 예상과는 전혀 다른 모습으로 나타났다. 만일 이직을 하지 않고 그대로 있었다면 직원들과 웃으면서 편하게 지낼 수 있었을 텐데 괜히 이직을 선택해 괄시를 받는구나 하는 생각도 들었다. 역시 인생은 생각대로 훑으러 가지 않는다. 만일 그랬다면 모든 사람에게 다양한 모습으로 등장하는 고난과 고통은 없었으리라.

이직에 대한 후회가 잠시 올라왔지만 이미 주사위는 던져졌고 나는 강을 건넜다. 내가 생각했던 조건이 제대로 갖추어져 있지 않고 환경이 갖추지 못한다고 불평만 하고 있어 봐야 나를 이해하거나 동정해 줄 사람도 없었다. 모든 걸 오롯이 혼자 견디며 극복해야 했다. 상사도 만만치 않은 분이었다.

나는 기존에 보고 업무를 한 적이 없는 현장에서 고객을 접객하는 업무에 익숙했다. 그래서 보고하는 순간이 오면 제대로 업무를 하지 못하여 수시로 야단을 맞았다. 속은 상했지만 참아야 했다. 이제 새로운 장소, 새로운 사람들에게로 옮겨온 것이므로 일정 기간은 익숙하지 않은 환경, 익숙하지 않은 사람과 적응하는 기간이 필요했다.

보석업무에 대한 일도 맨땅에서 헤딩하듯 하나하나 프로세스를 정립해갔다. 보석을 수입하기 위해서는 서울세관의 허가를 받아야 한다. 세관원에게 찾아가 관련 내용을 문의하니 보석에 대해서는 아직 수입 코드도 나와 있지 않았다. 그러면서 나는 계속 새로운 일을 실수 없이 해야 한다는 강박증에 사로잡혀 이직의 멋진 꿈과 힘겨운 현실의 괴리 때문에 고민했다. 이 모든 것이 누구의 잘못도 아닌 무기력감을 탈피하기 위한 나의 결정이라는 것을 깨닫고 현실을 원망하지 말자고 생각을 바꾸었다.

인생이란 그렇다. 모든 것을 다 갖추어놓고 편안하게 정해진 대로만 움직이면 먹고 살 수 있는 환경을 절대로 허락하지 않는다.

만일 그런 환경이 허락되었다면 그것은 행운이 아니라 불행으로 이어지는 지름길이 될 것이다. 왜냐하면, 한 번 그런 환경에 익숙해진 사람은 삶의 전투력을 잃어버리고 말아 결국 나약한 순응쟁이가 되기 때문이다. 그렇게 되면 조그만 시련에도 금방 쓰러질 것이 뻔하다.

대부분 인생은 인간에게 문제를 파도처럼 보낸다. 파도는 달의 인력이 존재하는 한 끝없이 밀려온다. 인생의 문제도 하나가 지났다 싶으면 다음 문제, 또 그다음 문제가 오기 마련이다. 문제를 피해 가지 않고 직면하여 부딪쳐 타고 넘을 때에야 비로소 다음 파도가 와도 두려움 없이 넘을 수 있게 된다.

인생은 후회와 원망이 일어나기 시작하면 점점 우울해지기에 아무것도 할 수 없게 된다. 내가 간절히 원해서 선택한 곳이 늘 나를 편안한 곳으로 데려다 주는 것이 아니다는 것이다. 그렇다고 되돌릴 수 없는 결정을 어찌하란 말인가? 그 누구도 원망하지 말자. 그리고 가장 밑바닥에서 다시 한 번 시작해보자. 그렇게 나는 다시 보석에 대한 업무를 새롭게 시작했다.

05 직장인의 야망은 클수록 좋다

인생은 내가 전혀 예상하지 못한 사람과의 과정을 통해서, 내가 전혀 알지 못했던 시간에 그 꿈을 꾸게 해준다. 누구나 마찬가지이다. 돌이켜보면 꿈이 없었다면 아마도 그런 사람을 만나지 못했을 것이고 그런 과정도 접할 수조차 없었을 것이다.

펄 벅은 "젊은이들은 아는 것이 많지 않기에 신중해지기 어렵다. 그래서 청년들은 무모하게 불가능한 일에 도전한다. 그리고 때로 그것을 이룬다. 수세대에 걸쳐 그런 일들이 일어났다."라고 했다.

처음에는 사람이 꿈을 꾼다. 그러나 일단 꿈을 꾸고 나면 그 꿈을 품고 주도해가는 것은 바로 나 자신. 즉 사람이다. 사람이 꿈을 이끌고 가는 것이다. 나는 대학 시절에 영문학 교수님이 강의 시간에 칠판에 긴 영어 문장을 쭉 써 내려가는 모습을 보고 '나도 저렇게 되고 싶다'는 꿈을 꾸게 되었다.

"결국 1990년 롯데면세점에서 대학 시절 간절히 바라던 미국 유학의 꿈이 13년 만에 이루어졌다."

뉴스투데이(2023년 12월 28일) 보도에 따르면 인크루트는 28일 이 같은 '2023년 채용 결산 조사' 결과를 발표했다고 했다. 인크루트가 지난 14일부처 21일까지 자사 회원으로 등록된 기업 768곳을 대상으로 올해 채용률, 규모 등을 조사했다.

2020-2023 년 주요 채용방식 비교						단위:%
구분	대기업		중견기업		중소기업	
구분	2022 년	2023 년	2022 년	2023 년	2022 년	2023 년
정기공채	17.4	43.9	25.7	28.4	18.6	21.6
수시/상시채용	52.2	36.6	58.1	55.2	66.8	60.4
인턴(체험형, 채용연계형)	30.4	19.5	16.2	16.4	14.6	18.1

올해 채용 방식을 살펴보면 경기공채는 늘고 인턴 채용은 줄었다. [사진= 인크루트 제공]

인크루트가 28일 2023년 채용 결산 조사 결과를 발표했다고 했다. 이번 조사는 인크루트가 지난 14일부터 21일까지 자사 회원으로 등록된 기업 768곳을 대상으로 실시했다. 채용률과 규모 등을 분석한 자료이다.

조사 결과에 따르면 올해 전체 기업 평균 채용률은 68.2%로 최근 5년 중 가장 낮은 것으로 밝혀졌다. 지난해 채용률은 68.3%였다. 정기 공채는 2022년은 17.4%, 2023년은 43.9%였다. 수시와 상시 채용은 2022년은 52.2%, 2023년은 36.6%였다. 인턴은 2022년은 30.4%, 2023년은 19.5%였다.

대기업 임원부터는 승진 경쟁이 치열하다. 뉴시스(2022년 11월 7일) 보도에 따르면 국내 100대 기업 재직하는 일반 직원이 임원으로 승진할 확률이 0.83%라고 한다. 지난해 0.76%에서 소폭 올랐지만 여전히 1%에도 못 미치는 '바늘 구멍'인 셈이다.

조사 결과를 보면 올 상반기 기준 100대 기업 전체 직원 수는 83만 4720명으로 집계됐다. 지는 지난해 같은 기간 83만 7715명보다 3955명(0.5%) 줄어든 수치다. 반면 미등기 임원은 6361명에서 6894명으로 늘었다. 1년 새 임원이 533명(8.4%) 증가한 것이다. 이에 따라 전체 직원 중 임원 비율은 120.9대 1로 나타났다.

직장인의 꽃은 대기업 임원이다. 도저히 이루어질 것 같지 않은 꿈이 제대로 된 꿈이다. 가능한 일이나 충분히 할 수 있는 일은 그냥 '계획'이다. 그러니 취준생이라면 멀리 보고 꿈, 야심, 야망 등 결코 이루어지지 않을 것 같은 꿈을 갖자.

"인생의 구체적인 목표와 계획을 써놓은 적이 있는가?"

1953년 미국의 예일대 졸업생들을 대상으로 삶의 목표에 관한 연구 결과를 위한 질문이다. 이 중에 단 3%만이 인생의 구체적인 목표와 계획을 글로 적었다고 답했다. 나머지 97%는 그저 생각만 하거나 아니면 처음부터 아예 목표가 없는 경우였다. 20년이 지난 1973년, 그때의 학생 중 생존자들을 대상으로 경제적인 부유함을 조사했다.

놀랍게도 졸업할 당시 구체적인 목표가 있다는 3%의 졸업생들이 나머지 97%의 졸업생들보다 더 많은 부를 가지고 있었다. 예일대 조사 이후 하버드 경영 대학원에서도 비슷한 연구 결과라 있었다. 1979년 하버드 MBA 과정 졸업생 중 3%는 자신의 목표와 그것을 달성하기 위한 계획을 세워 적었다. 13%는 목표가 없었던 84%의 졸업생들보다 평균 2배의 수익을 올리고 있었다. 뚜렷한 복표를 가진 3%는 나머지 97%보다 무려 평균 10배의 수입을 올린 것으로 조사되었다.

사람마다 꿈의 크기와 야심은 정체불명이다. 시간이 가면서 성장 단계를 보면서 사람 됨됨이를 알아가게 된다. 한 사람이 성장하는 데는 크고 작은 수많은 '도전, '용기', 선택의 순간에 '고뇌'와 '결단'이 필요하다.

"그럼 직장인으로서 당신의 그릇의 크기는 어디까지일까?"

내가 신입 사원으로 들어가서 처음에 하얏트 호텔에서 나를 면접하던 인사부장이나 부 총지배인과 총지배인 같은 리더분들은 나에게는 정말 큰 사람으로 보였다. 내가 거기까지 살 수 있다고 한들 그것이 현실화하기까지 오랜 시간이 걸린다. 하지만 승진 단계를 거치면서 '꿈의 크기'와 '맷집'이 나도 모르게 자란다. 이것이 사람들과 더불어 살아가면서 느끼는 재미일지도 모르는 것이 삶의 여정이 아닐까?

성공하는 직장인의 길을 걸으려면 세 가지 강조하고 싶다.

첫째, 미래 나의 직장인으로 어디까지 올라갈 수 있을지 청사진을 그려보자. 회사의 승진 기준만 따라가면 직장인의 길은 내 인생이 될 수 없다.

둘째, 승진하고 싶다면 어려운 일에 적극적으로 나서자. 회사 생활하다 보면 눈치 빠르고 승진하는 사람이 있긴 하다. 그것도 능력이다. 하지만 내가 스스로 회사에서 일이 주어지면 이런저런 눈치를 보기보다는 책임감을 느끼고 도전을 하는 것이 결국은 보상이 온다.

운명은 기회가 아니라 선택의 문제라고 한다. 까짓것, 이왕이면 야심을 크게 갖자. 그리고 소극적인 생각보다는 야심을 드러내는 것을 두려워하지 말고 어려운 일을 맡아서 실패해도 좋다는 '맷집'을 갖고 무장하자.

06 A4용지가 만들어 준 4식구의 행복한 소통

"부모도 아이도 모두 입시 스트레스에서 해방되었지만, 관계는 여전히 나빴습니다. 아이는 엄마와의 대화를 계속 피했습니다. 아빠 곁에서는 항상 긴장과 반항의 태도를 유지했습니다. 아이가 먼저 말을 거는 법도 없었습니다. 그래서 코앞에 있는 아이의 근황을 아이 친구의 엄마를 통해서 들어야 했습니다."
 - 정재영, "왜 아이에게 그런 말을 했을까"

저자는 서울대에 진학한 자녀와의 관계에서 일어난 심각한 문제를 깨닫고 "왜 아이에게 그런 말을 했을까"라는 반성의 책을 썼다고 한다. "아이를 똑똑하게 키우는 법은 알았지만, 아이에 대한 사랑 주는 방법을 몰랐어요."라고 고백하고 있다.

되돌아보면 지금은 많이 달라졌지만, 대다수 직장인은 하루의 3분의 2는 회사나 외부에서 보내서 가족과 소통하는 시간이 많지 않았다. 나는 직장인의 길을 걸으며 가족에게 시간을 많이 할애하지 못하는 상황에서 삶의 지혜를 꺼냈던 것이 지금도 참 감사하다. 특히 두 아이와 진솔하게 소통할 수 있을까 하고 고민했다. 아이들이 잘못된 생각 방식을 갖기 전에 올바른 사고를 하는 방법을 찾고 있었다. 그렇다고 일방적인 훈계를 하는 것은 오히려 역효과를 불러오리라는 것은 잘 알고 있었다. 자연스럽게 대화할 수 있는 도구가 필요했다.

궁리 끝에, 평소 각자 A4용지에 다른 식구들에게 하고 싶은 말을 메모해 두기로 했다. 주말에 한 번씩 네 식구가 모여 각자 작성한 A4용지를 보면서 서로의 이야기를 진솔하게 나누도록 하는 소통의 시간을 가졌다. 두 아이가 초등학교 다닐 때부터 중학교 때까지 지속했다. 대체로 이 시간이 아이의 성장이 자라는 시기라 이때 이런 가족 간의 올바른 소통이 중요하다고 생각한다.

부모인 우리보다 아이들이 더 좋아했다. 주말이면 식구들이 식탁에 들어앉아 맛있는 식사를 하며 도란도란 이야기를 나누는 것이 참으로 즐거웠다. 이야기는 재미있으면서도 허심탄회했다. 아이들이 이야기할 때 아이들을 지그시 집중하여 바로 보며 진지하게 경청했다. 그러면 아이들은 소소한 이야기들까지 하며 엄마와 아빠에게 바라는 사항들을 솔직하게 표현해 주었다. 나는 이 시간을 통해 아이들에게 세상 살아가는 지혜에 관해 슬쩍 얘기해 주곤 했다. 되돌아보면 이 작은 소통의 습관이 아이들 스스로 올곧게 성장하며 자립하기까지 좋은 습관을 심어준 소중한 기회가 되지 않았나 하는 생각이 든다.

가족은 내가 약할 때 사장 강한 존재이다.

내가 직장인이 길에 힘겹게 부장 승진을 하고 청천벽력같은 항암치료를 받으며 힘든 기간을 보내 때가 가 있었다. 신촌 세브란스 병원에 입원해 치료를 받고 퇴원하는 일을 수차례 반복하고 있었다. 그런데 큰딸이 병상에서 고통스럽게 치료하는 나를 생각하느라 경황이 없었는지, 집에 목욕탕에 들어가다가 미끄러져 넘어지면서 오른발 복숭아뼈가 크게 손상되어 급히 119를 불러 내가 입원해 있던 병원에 실려 왔다. 이 무슨 운명의 장난인가 하는 생각이 들었다. 오른발에 철심을 박고 깁스를 한 채로 퇴원을 했다

큰딸이 혼자서 움직일 수 없어서 내가 대학교까지 차로 픽업을 해주었다. 두 달 가까이 아내와 번갈아 가며 아이 등하교를 시켜주었다. 나도 항암 치료 하는 중이라 힘들었지만, 큰딸이 깁스하고 목발을 짚고 다니면서 "아빠, 난 괜찮아요"하고 오히려 나를 위로 했다.

둘째 아이가 수능을 치렀을 때의 일이다. 수능을 마치고 집에 돌아온 아이의 안색이 창백하고 너무나도 좋지 않아 보였다. 무슨 일이 있는지 물어보았다. 수능 1교시 언어영역 시험에서 시험지에 체크해 둔 답을 OCR 카드에 한 칸씩 밀려 써서 잘못 옮겼다는 것이다. 이 무슨 소리인가. 아내와 나는 너무 놀라 서로 눈을 마주치며 어쩔 줄 몰라 했다. 아이의 눈에는 눈물이 그렁그렁했다.

나는 순간적으로 아이에게 어떤 말을 해주어야 할지 고민했다. 사태는 이이 돌이킬 수 없었다. 1교시에 시험을 망쳤음에도 불구하고 시험 마지막까지 다 치르고 나온 딸이 오히려 대견하다는 생각이 들었다. 나는 차오르는 안타까움을 억누르고 아이를 위로하고 어깨를 두드려 주며 격려를 해주었다.

"우리 딸, 인내력 정말 대단하다. 그 큰 실수를 하고서도 시험까지 마치고 왔으니 잘했구나. 어서 씻고 오렴. 같이 밥 먹자."

수능 결과는 참혹했다. 4년제 대학은 생각할 수 없는 점수였다. 차분하게 대화를 나누었다. 일단 전문대학에 들어가서 편입을 해

보자고 편한 마음으로 협의했다. 아이는 전문대학 입학 후 학업과 편입 준비를 병행하는 힘든 대학 시절을 보내야 했다. 이듬해 가을 어느 날 전화를 받은 아내가 갑자기 큰 소리로 비명을 질렀다. 나도 또 아이에게 무슨 일이 생겼는지 걱정이 되어 이유를 물었다. 아내는 아이가 S 여대 의상학과 편입에 합격했다는 전화를 받은 것이다. 나는 순간 놀랐던 마음은 추스르고 안도의 한숨을 내쉬었다.
언젠가 둘째가 나에게 이런 말을 했다.

"아빠, 내가 수능 시험 망쳤을 때 아빠가 나에게 심하게 야단쳤으면 아마 저는 그때 집을 나갔을 거예요."

가장 큰 실수를 했을 때. 가장 큰 위기를 맞이했을 때, 가장 큰 벽에 부딪혔을 때 그때가 바로 진짜 가족이 필요한 때다. 하지만 평소에 소통하지 않은 가족은 가족이 가장 필요한 그 순간에 가족에게 말할 수 없게 된다. 어린 시절 A4용지를 들고 옹기종기 모여 서로에게 진솔한 이야기를 나누던 그 짧은 순간들이 우리 아이들에게 위기의 순간에 가족과 함께 해결해 나아갈 수 있는 열린 마음과 지혜 그리고 단단함을 선물해 주었다는 생각이 든다.

PART 05

인생의 벽은
뚫으라고 있는 것이다

01 앞이 보이지 않아 한 가지만 팠다

기댈 곳이 없었다. 부모님께서는 힘겹게 농사를 지으셨지만, 근근이 생계를 유지하는 상황을 넘어서지는 못했다. 당시에 나만 그런 것이 아니라 많은 사람이 그랬다. 대학에 입학하자마자 폐결핵 판정을 받고 1년 동안 치료를 받았다. 이후에 복학했을 때는 정말 막막했다.

두려웠다. 학교 동기들이나 선배들이 나를 어떻게 볼지, 내가 정상적으로 다는 사람들처럼 공부해낼 수 있을지, 학교를 마치고 취업이나 할 수 있을지, 학교 다니는 얼마 동안 이런 두려움과 앞이 전혀 보이지 않는 불안감으로 그냥 멍하니 시간만 흘려보내고 있었다.

어느 순간, '이래서는 안 되지.'하는 생각이 들었다.

이렇게 시간만 낭비하다가는 인생 전체를 망칠 수 있겠다는 위기의식이 생겼다. 먼저 졸업 후에 무엇을 하며 살 것인가를 떠올려 보았다. 일단 나의 건강이나 성격을 고려해 볼 때 안정적인 직장을 들어가는 게 좋겠다는 마음이 들었다. 그렇다면 직장 생활에서 성공하기 위해서는 지금 무엇을 준비하는 것이 가장 효과적일까, 고민해 보았다.

4차 산업혁명 시대를 살아가는 요즘 대학생들은 대학 생활을 하면서 다양한 활동을 준비하고 있다. 각종 동아리 활동에 해외연수는 기본이다. 내가 목표로 하는 회사와 유사한 회사에서 인턴까지 엄청난 스펙을 쌓고 있다. 그런 활동들이 다양한 잠재역량을 계발할 수 있게 한다는 것은 좋은 일이다.

내가 대기업에 근무하며 신입 사원을 선발할 때 보면 스펙을 쌓기 위한 스펙을 쌓은 친구들도 있었다. 이런 경우 실제 회사에서 근무 능력과는 상관없는 스펙을 쌓는 경우도 발생해 안타까운 마음이 들기도 했다.

나는 단 한 가기에 집중하기로 했다. 졸업 후 직장 생활에서 나만의 강력한 무기가 될 수 있는 것, 그 한 가지에 몰입하기도 한 것이다. 그것은 영어였다. 대학 생활에서는 영어 말고도 해보고 싶은 것들이 많았다. 가보고 싶은 것들도 많았다. 20대의 뜨거운 젊음에 유혹적인 것들이 너무나도 많았다. 내가 만일 하나 가지에 집중하겠다는 결심을 야무지게 해놓지 않았다면 나는 재미있게 즐길 수 있는 일들을 찾아 이곳저곳을 방황하며 다녔을 것이다.

"우리에게 주어진 시간과 에너지는 한정되어 있다. 그것을 너무 넓게 펼치려 애쓰다 보면 노력은 종잇장처럼 얇아지게 된다. 사람들은 일의 양에 따라 성과가 점점 더 싸이기를 바라는데, 그렇게 하려면 어하기가 아닌 빼기가 필요하다. 더 큰 효과를 얻고 싶다면 일의 가짓수를 줄여야 한다."

이 구절은 아마존 베스트셀러 1위 게리 켈러 제이 파파산, 책 '원씽(THE One Thing)' 중에서 나오는 말이다. 그렇다. 많은 일을 하고 있으면 내가 뭔가 큰일을 하는 느낌이 들고 큰 성과가 나올 것 같은 생각이 들지만, 보통 그 생각은 착각이다. 여러 종류의 일을 동시다발적으로 하다 보면 어느 것 하나 완성도 이는 수준으로 끝내지 못하는 것이 일반적이기 때문이다. 요즘에 '멀티태스킹(Multitasking)'이라고 해서 책상에 컴퓨터, 노트북, 스마트폰 등 여러 기기를 동시에 펼쳐놓고 일을 하는 사람들이 있다. 옆에서 보기에는 멋져 보이지만 실제로 당사자는 한 가지 집중하기 어렵다. 시간이 지나면 완전히 장전되어 탈진하는 경우가 많다.

대학에서 할 수 있는 매력적인 활동들이 내 앞에 있었지만 모든 것 제쳐두고 영어에 집중하기로 선택했다. 어느 직장 면접에 가더라도 영어만큼은 자신 있게 할 수 있다고 답변하고 싶었다. 잠자는 시간 외에는 늘 영어를 생각하는 습관을 지녔다. 비록 내 마음은 대한민국에 있었지만 언제 어디서든지 영어를 곁에 두고 영어를 생각하며 영어를 말하도록 의식적인 노력을 기울였다.

버스나 지하철을 타면 늘 손에 영어책을 들고 있으면서 영어 문장을 읽다가 잠시 눈을 감고 그 문장을 암기하고 다른 문장으로 적용을 해보았다. 영어 소설을 읽으며 '타임지'의 새로운 문장을 익혔다. 어휘력 수준을 높이기 위해 'Vocabulary 25,000' 책을 사서 단어를 외우고 단어를 이용하여 새로운 문장을 만들어 보았다.

그리고 영어 타자를 배웠다. 처음에는 어색했지만, 나중에 자판을 보지 않고 자유롭게 할 수 있게 되었다. 지금 책을 쓰는 것도 어찌 보면 대학 시절 내가 영어 타자를 배운 덕분이기도 하다. 이 영어 타자는 훗날 대기업으로 이직을 한 후 감정으로 부각되어 내가 혼자 기안지를 만들 수 있는 자산이 되었다.

누구나 나에게 성장을 위해서는 잠시 혼자만의 시간이 필요하다.

나는 영어 학원에 다닐 형편이 안 되어서 영어를 돈을 안 내고 배우는 기회를 이용할 수밖에 없었다. 주일이 되면 여의도에 있는 외국인 교회에 가서 영어로 예배를 드리는 아침 예배에 참석했다. 오후에는 미국인 선교사님 집에 가서 영어 성경을 배웠다. 여름 방학 때는 선교사님의 도움을 받아 서울 은평구 불광동 수양관에서 한 달간 영어로 말하며 생활하는 프로그램에도 참여했다. 단순히 공부만 하는 것이 아니라 직접 영어를 생활 속에서 사용하면서 지내니 영어를 자엽스럽게 익히는 데 큰 도움이 되었다.

지금 처한 상황이 힘들고 앞이 보이지 않는다면 딱 한 가지를 정해 집중하는 것이 좋다. 한 가지만 하고 있으면 불안할 때도 있지만 그 한 가지를 제대로 해내게 되면 나만의 새로운 세상이 펼쳐지기 시작한다.

이렇게 대학 생활을 내내 영어에 집중한 결과, 영어는 나만의 차별화 도니 무기가 되었다. 지금이야 영어를 잘하는 사람도 많고 외국에서 살다 온 사람들도 많지만, 내가 대학 생활을 할 때만 해도 영어를 유창하게 하는 사람들이 귀했다. 나는 영어를 무기로 대학 졸업 후 글로벌 기업 하얏트호텔에 입사했다. 이후 롯데면세점에서 미국보석학회 유학을 갈 수 있었다.

02 칼이 짧으면 한 발 더 나가면 된다

'결과는 14 대 10이었다.'

누가 봐도 이미 승부 난 경기였다. 상대는 마흔 살 백전노장의 세계 랭킹 3위, 이제 갓 스무 살의 나이로 소리차단 출전한 올림픽 결승전을 치르는 앳된 청년에게는 거의 불가능한 상대였다. 상대는 한 포인트만 얻으면 게임이 끝나고 금메달을 확정하게 되는 상황. 그런데 청년의 눈빛에는 한 치의 동요도 없었다. 오히려 이전보다 더 빛나고 있었다. 혼잣말로 무어라고 중얼거리고 있었다.

짧은 휴식이 끝나고 경기가 계속되었다. 아니, 이럴 수가! 경기를 보도 있던 모든 청중이 '아!' 탄식했고, 대한민국에서 경기를 보도 있던 국민은 놀라 박수를 치고 환호성을 지르며 기뻐했다.

'최종 결과는 14 대 15였다.'

모두의 예상을 깨고 스무 살의 청년이 극적인 역전승을 거둔 것이다. 지난 리우 올림픽 남자 펜싱 에페 경기에서 금메달을 목에 건 박상영 선수의 이야기이다. 경기를 마친 그에게 다가온 기자들이 물었다. "마지막에 혼자 뭐라고 중얼거린 건가요?" 이에 박상영 선수는 대답했다.

"할 수 있다, 할 수 있다, 할 수 있다."라며 절박한 상황에서 상대 선수나 점수를 바라본 것이 아니라 자신을 향에 계속해서 "할 수 있다!"라고 외쳤다고 한다.

살다 보면 지독하게 불리한 상황에서 혼자 고립된 채 어떻게 해야 할지 모르는 순간이 오기 마련이다. 생애 처음 경험하는 영어 인터뷰를 대비하여 많은 준비를 하고 취업에 합격했지만, 막상 호텔에서의 생활은 그리 만만치 않았다. 영문학을 전공하고 영어를 특기로 해서 입사를 했으나 '호텔업'에 대해서는 아는 게 없었다. 동료들은 대부분 이미 대학에서 호텔경영학을 전공한 사람들이었다. 더구나 스위스 호텔학교나 미국의 유명 코넬 대학 등을 졸업하고 온 인재들도 있었다.

호텔에 입사하기 전에는 호텔 일이 고객들에게 멋진 웃음으로 인사 잘하고 친절하면 되는 줄로만 생각했다. 그런데 막상 직원으로 들어와 보니 그게 아니었다. 글로벌 기업의 호텔이었으므로 전 세계에서 다양한 고객들이 방문했다. 그들의 눈높이에 맞추어 응대하며 클레임이 발생하지 않도록 최상의 서비스를 제공하는 일은 보통이 아니었다.

특히 저녁 시간이 지나 숙박 고객들이 동시에 한꺼번에 몰릴 거나 기상악화로 비행기 출발이 지연되는 사태가 발생할 때는 업무가 폭주하면 정신을 차리지 못할 정도였다. 호텔업은 다양한 서비스와 상황에 대해 꼼꼼하게 대처해야 하는 최고의 전문성을 요구하는 업이 있다. 다른 동료들은 이미 학교에서나 호텔 현장에서의 실습 그리고 각종 직무 교육을 통해 수준의 역량을 갖추고 있었다. 나는 군계일학이 아니나 수많은 학들 사이에 둘러싸인 한 마리 닭 같은 신세였다.

나는 순간 동료들보다 실무능력이 턱없이 모자라서 차라리 다른 직장을 알아볼까, 하는 생각도 들었다. 승부를 보기에는 너무 차이가 컸다. 잠이 오지 않았다. 빨리 결정하지 않으면 여기서도 밀리고 다른 곳에 갈 수도 없는 상황이 오겠구나, 하는 염려도 되었다. 그러한 상황이 불리하다고 해서 한 번 도망 다니기 시작하면 앞으로도 계속 그런 일이 반복될 수도 있겠다는 마음이 치고 올라왔다.

'아냐, 한 번 붙어보자!'

나는 도망가는 대신 정면 승부를 택했다. 호텔경영을 전공하기 위해 다시 대학에 가거나 다른 사람들처럼 유명 호텔학교에 입학할 수는 없었다. 국내 호텔경영 대학원에 들어가기로 했다. 낮에 직장을 다니면서 야간에 공부할 수 있는 곳이어야 했다. 직장인이 월급으로는 두 아이를 포함 네 식구의 생활비와 대학원 등록금을 함께 마련한다는 것은 쉬운 일이 아니었다. 하지만 잠시 어렵더라도 이 기간을 이겨내고 전문성을 갖추게 된다면 더 많은 연봉을 받을 수 있다고 믿었다. 다행히 아내도 나의 뜻을 믿어주었다. 어려운 순간 뜻을 함께해 줄 동반자가 있다는 것이 얼마나 되었는지.

롯데면세점 근무 시절에 신입 사원 면접 소개서를 보면서 많은 대학생이 미국 등 유학하러 간 사례를 보았다. 하지만 나는 큰딸을 유학 보낼 형편이 안 되었다. 영어는 예나 지금이나 취업을 위해서 그리고 직장에 들어가서 중요한 언어 중의 하나이다.

어학연수 1년 정도 체류 비용도 직장인인 저에게는 적지 않은 부담이었다. 하지만 큰딸과 협의하여 어학연수를 가는 것을 결정했다. 해외 명품 브랜드는 해외에 본사가 있어서 근무하는 직원들은 어느 정도 영어는 기본적으로 한다. 큰딸의 어학연수가 훗날 아르바이트로 명품에 근무하는데, 작은 도움이 된 것은 사실이다.

펜싱 경기를 보자. 칼이 짧을 때 뒤로 물러서기 시작하면 이미 진 것이다. 칼이 짧을 때 살아남는 방법은 두 가지이다. 칼을 버리고 도망가든가 상대가 칼을 제대로 뻗기 전에 전진하는 것이다. 한 번 도망가면 평생 습관이 되어 도망치는 인생을 살게 된다.

칼이 짧은가, 두려움은 잠시뿐이다. 상대에게 바짝 달려들자!

03 위축될 때는 실력만이 살길이다

오래지나보면 모든 시행착오의 경험이 살아가는 데 도움이 된다. 하지만 결국은 내가 실력을 쌓는 것이 살길이다. 1등만이 존재하는 스포츠의 세계는 실력이 가장 중요한 분야 중의 하나이다.

"더 이상 '백업' 방패막이 없다. 이제 실력 증명만이 살길이다."

'백업' 타이틀이 마냥 안 좋은 것은 아니다. 어디 까지나 주전의 뒤를 받치는 역할에 충실하면 된다. 이런 면에서 볼 때 백업 타이틀 실격으로 모든 것을 증명해야 하는 프로의 세계에서 방패막이 될 수도 있다.

2023시즌을 준비하는 한승택(KIA 타이거즈)에 더 이상 방패막은 없다. 이젠 타이거즈의 안방마님다운 모습을 보여줘야 한다.

올해 한승택은 김민식의 뒤를 받치는 백업으로 출발했다. 스프링캠프에서 주전 경쟁을 했다. 하지만 여전히 기량과 경험 면에서 보완해야 할 점은 많았다. KIA가 4월 말 박동원(32)을 트레이드 영입하고 김민식을 SSG 랜더스로 내보낼 때고 한승택은 백업 역할에 충실했다. 내년에도 이런 구도가 이어질 것처럼 보였다. 그러나 자유계약선수 자격을 얻은 박동원이 LG 트윈스로 떠났다. KIA가 빈자리를 메우는 대신 한승택의 성장을 믿는 쪽을 택하면서 구도는 급변했다.

자기 자신을 아는 것이 평범한 것 같지만 취업을 준비하면서 스펙을 쌓기 위해 봉사활동, 대외활동 등 다양한 노력을 한다. 하지만 자기 자신을 모르면서 막연한 스펙 쌓기는 오히려 독이 될 수 있다. 한 분야에서 일정 기간 경험을 해야 그 경험이 실력으로 인정을 받는 것이다.

나의 대학 시절 직장인으로 살아남을 수 있는 것이 무엇인가 고민했다. 그리고 나 자신을 면밀하게 분석했다. 나는 대학 시절에 내가 미래에 인생에서 승부를 볼 수 있는 것은 오직 한 가지 '영어를 잘하는 것뿐'이라도 결정했다.

기업 경영전략을 수립하기 위한 분석 방법으로 강점(Strength), 약점(Weakness), 기회(Opportunity). 위기(Threat)의 앞글자를 따서 'SWOT 분석'이 있다. 개별적으로 분석할 수도 있다. 하지만 강점과 기회(SO) 분석, 강점과 위기(ST) 분석, 약점과 기회(WO) 분석, 약점과 위기(WT) 분석의 네 가지 방법으로 분석한다.

나와 큰딸의 예를 들어보자. 먼저 나의 경우를 진단해 보았다. 나에게 유리한 상황을 강점으로 보면 질병으로 휴학을 하고 늦깎이 졸업이 예상되고 불리한 스펙을 극복하는 것은 '영어를 강력한 무기'로 만드는 것이었다. 그리고 내가 잘하는 것, 내가 갖고 싶은 직업, 내가 좋아하는 것을 분석했다. 가장 먼저 고려할 사항으로 취업에서 '영어'를 잘하는 것 이에는 강점이 아무것도 없었다. 그래서 대학 시절 동아리도 하고 취미 생활도 하고 싶었지만, 하루 24시간 잠자는 것 외에는 오롯이 영어에 많은 시간을 할애했다.

큰딸 또한 여러 가지 면에서 내세울 것이 없었다. 나는 롯데면세점에 근무하면서 명품 브랜드에 근무하려면 최소 영어 구사 능력이 필요하다는 것을 알았다. 그래서 직장인의 길에 급여로 유학을 보낼 수 없고 영어 실력을 쌓으라고 미국에 어학연수 1년을 보낸 것이다. 훗날 이것이 명품 브랜드에 아르바이트로 들어갈 수 있는 강점 즉 실력이 된 것이다.

수많은 조직이 어우러진 직장인의 길에 실력이라는 것에 어떤 함정이 있나?

"우리의 뇌는 몸무게의 2%를 차지한다. 어떤 것에 집중할 때는 에너지의 25%를 소비한다."라고 한다. 난관을 이겨내는 방법은 뇌에 장착된 본능을 이용하여 조직에서 커뮤니케이션이나 중요한 업무에 관한 판단을 잘할 수 있는 통찰력을 키우는 것뿐이다. 하지만 이러한 능력이나 통찰력 같은 실력은 수많은 조직원이 구성된 기업에서는 상황에 따라 다른 것 같다. 즉 실력도 있고 커뮤니케이션도 잘하고 판단도 잘하는 완벽한 사람은 드물다. 모든 것이 완벽하면 좋겠지만 한 가지 다른 요소가 부족한 것을 가진 함정이 있기 마련이다.

내가 직장인의 길에 경험한 상사들의 예를 들어보자. 첫째, 정말 스펙도 좋고 실력도 있다. 그런데 조직 구성원에게 너무 자신만이 실력이 있다는 것을 의식적으로 보이는 사람이다, 둘째는 스펙은 중급 정도인데 조직 구성원에게 배려가 있고 상대방의 말을 잘 경청하는 스타일이다. 셋째는 경영 능력은 보통이고 평상시에 업무에 대하며 부하 직원에게 권한을 많이 준다. 특이한 점은 회사의 대표에게 업무 보고를 정말 잘하는 스타일이다. 실력과 업무 보고는 약간 다른 것이다. 실력이 있어도 보고를 잘 못 하는 경우도 있다.

기업에서 직급이 올라갈수록 올바른 정보를 많이 갖는 것도 능력이다. 평상시에 다양한 책을 많이 읽고 시대의 트렌드를 미리 파악하고 준비하는 것이 필요하다. 수많은 정보를 종합하여 제대로 된 판단을 하는 능력이 필요하다.기업에서는 갈수록 승진을 하는데 있어 다면 평가를 하는 경향이 높아진다. 실력은 꼭 한 가지만을 잘하는 것이 아니다.

엄광용 저자가 쓴 '세계를 움직인 CEO들의 발상과 역발상'에 성공 신화를 쓴 손정의 회장 이야기가 있다. 그는 컴퓨터에 관련된 사업을 시작하려 했지만, 사업 자금이 없었다. 자신에게 있어서 최대의 재산은 두뇌를 개발하는 것이라는 생각을 했다. 그리고 간염 치료를 하는 3년 동안 수천 권의 책을 읽으며 경영에 대한 실력을 키웠다고 한다.

우리는 대학을 4년 다니면서 또는 직장인의 길에 내가 한 가지 남들보다 잘하는 것이 최소 한 가지는 갖추자. 좋은 스펙과 불리하지만 한 가지 강점을 갖고 있는 것 중에서 어느 것이 상대방에게 강한 인식을 줄까? 급변하는 시기에 내 인생의 주인은 바로 나 자신인을 스스로에게 끊임없이 북돋아주자.

- 흙먼지를 날리던 시골 고향이 세계를 꿈꾸게 하다

"어렸을 적 영화 공부할 때 가슴에 새겼던 말이 있다. 가장 거창한 것이 가장 창의적이다.'

대한민국과 세계를 깜짝 놀라게 하며 아카데미 4관왕을 수상한 봉준호 감독이 오스카 작품상을 받은 후 했던 수상 소감이다. 그는 이 수상 소감으로 다시 한번 그날 모인 배우들과 전 세계 시청자들을 감동하게 했다. '가장 개인적인 것이 가장 창의적이다'라는 말은 봉준호 감독과 함께 작품상 후보에 올랐던 마틴 스콜세지 감독이 남긴 말이었다. 이날 봉 감독은 멋지게 자신을 자랑할 수 있는 자리에서 객석에 앉아 있던 스콜세지를 가리키며 그에게 존경을 표현하는 겸손한 논평으로 오히려 거장의 흔적을 드러냈다.

세계지도를 펼치면 제대로 찾기도 힘든 대한민국이라는 조그만 땅덩어리에서 벌어진 한 개인의 일을 소재로 만든 영화다. 그의 영화 '기생충'은 블랙코미디 옷을 입고 위트 넘치는 방식으로 빈부격차에 대한 문제의식을 그대로 담아냈다. 전원 백수로 살길 막막하지만, 사이는 좋은 기택(송강호) 가족은 글로벌 IT기업 박 사장(이선균)의 집에 발을 들이면서 벌어진 예기치 않은 사건을 그렸다.

세계 최고 권위의 아카데미상을 4개씩이나 거머쥐리라고 누가 상상이나 했겠는가. 가장 개인적인 것이 가장 창의적인 것이 될 수 있듯이 가장 지역적인 것이 가장 세계적인 것이 될 수 있다.

어린 시절 내가 살던 지역은 시골이다. 시골길은 포장도 되어 있지 않았다. 저 멀리 버스 한 대가 달려오면 마치 할리우드 서부영화의 총잡이들이 사막을 가로질러 말을 타고 달려올 때 피어오르는 먼지처럼 흙먼지가 자욱하게 날리곤 했다. 버스가 정류장을 떠나 다시 흙먼지를 피우며 출발할 때면 그 버스 뒤를 따라 전속력으로 뛰어가며 버스 따라잡기 놀이도 했다.

어린 나이였지만 '나도 언젠가 저 버스를 타고 좀 더 큰 세상으로 가야지'하는 마음을 먹곤 했다. 어느 곳에도 화려한 빌딩이나 멋스러운 사람들을 볼 수 없었지만, 그것이 오히려 더 넓은 세상에 대한 꿈을 꾸게 해주었다.

그 당시 우리 집에는 아직 전기가 들어오지 않아 호롱불 아래에서 책을 볼 수밖에 없었다. 누가 숨을 좀 크게 쉬어도 불꽃이 흔들리며 곧 꺼질 것 같은 호롱불에서 책을 보았기에 더 간절하게 책에 집중했다. 세상의 칼바람에 자칫 금방 끊어질 듯한 인생의 위기를 여러 번 맞닥뜨리면서도 다시 오뚜기처럼 일어설 수 있었던 것은 마음속 싶은 한쪽에 계속 타오르고 있던 호롱불 덕분이라고 생각이 든다.

여름이면 저녁에는 온 식구들이 마당에 멍석을 깔고 함께 모여 쑥을 태워 모기를 쫓으며 옥수수와 감자를 먹었다. 지금처럼 온갖 맛있는 양념이 들어간 피자나 치킨을 먹은 것도 아닌데 그때는 왜 그리 맛있고 행복했는지. 그렇게 먹다가 벌러덩 누워 하늘을 보면 까만 밤하늘에 수많은 별이 반짝반짝 자리 빛을 뿜어내면서 빛나고 있었다. 내가 지금 우리 가족과 주전부리를 먹으며 이야기하는 것을 좋아하고 별을 보며 함께 걷는 것을 즐기는 것은 그때 그 추억들이 이어진 것이리라. 그 추억들 덕분에 가족을 더욱 더 소중히 여기는 사람이 될 수 있었으리라.

출신 지역이 별 볼 일 없고 가난한 집에서 자랐다고 해서 인생 전체가 별 볼 일 없게 된다는 것은 아니다. 나도 그렇게 흙먼지 피어나는 시골에서 자랐기에 더 큰 세상을 선망하며 꿈꿀 수 있었다. 대학 졸업 후 13년 만에 미국까지 유학하러 가서 수많은 보석을 감정할 수 있는 보석감정사가 될 수 있었다. 화려한 도시에서 자라나 이미 세련됨과 복잡함에 익숙해져 더 큰 세상에 대한 기대가 없었다면 나는 지금도 꿈에 대한 설렘을 잃은 채 무기력한 일상을 살고 있을지 모를 일이다.

1990년 미국보석학회에서 보석 감정하던 시절

정호승 시인은 중학교 2학년 때 국어 시간에 선생님이 김영랑의 시 '돌담에 속삭이는 햇빛'을 가르치면서 시를 한편씩 써오라는 숙제를 내주셨다고 한다. 선생님이 '호승아 너 숙제해왔나? 물으시면 한번 읽어봐라' 하셨다. 키가 작아 앞줄에 앉아 있던 그는 깜짝 놀라 일어나 읽었다. 낭독이 끝나자 선생님은 머리를 쓰다듬어 주시면서 이렇게 말했다. '호승아 너는 열심히 노력하면 좋은 시인이 될 수 있겠다'. 이 한 말씀이 그의 인생에 결정적인 영향을 끼쳤다고 한다.

대한민국 제7대 외교통상부 장관을 지내고 제3대 유엔 사무총장을 역임한 반기문 총장은 아주 깊은 시골이었던 충북 음성군 원남면에서 자랐다. 산과 들과 밭에 둘러싸인 농촌에서 성장했다. 그는 당당하게 세계를 이끄는 유엔 사무총장이 되었다. 원남면에서 뉴욕까지 진출한 것이다. 출신 지역의 크기가 중요한 것이 아니라 꿈과 마음의 크기다 중요하다. 비록 몸은 작고 좁은 시골에 있더라도 마음만은 크고 드넓은 세상을 향한다면 그는 결국 세계를 활보하는 인생을 살게 될 것이다.

흙먼지를 날리던 시골 고향이 세계를 꿈꿀 수 있도록 해주었기네 감사하다. 나를 유혹하는 화려함이 없었기에 순수한 소망을 가질 수 있었다. 그렇기에 감사하다. 낮은 곳에서 시작했기에 더 떨어질 곳이 없이 담대한 마음으로 도전할 수 있었다.

지금 당신이 가장 낮고, 가장 작고, 가장 먼지가 많은 곳에 있다면 당신은 가장 높고, 가장 크고, 가장 화려한 곳에 갈 수 있는 출발점에 있는 것이다.

05 글로벌 기업에 도전하는 후배들에게

"참을성 없다는 말을 듣기 싫어 버텼지만, 너무 힘들어서 그만둘 수밖에 없었다."

최근 한 20대 유튜버가 자신의 채널에 올린 '퇴사 브이로그'에서 밝힌 퇴사 이유다. 영상 관련 업체에서 일했던 그는 입사 3개월 만인 지난해 말 사직서를 냈다. 이처럼 온라인에는 20, 30대 직장인이 자신이 퇴사한 이유나 퇴사 과정을 담은 브이로그가 넘쳐난다. '비디오'와 '블로그'의 합성어인 브이로그는 평범한 일상을 촬영한 영상 콘텐츠다. 젊은 세대를 중심으로 퇴사와 이직이 활발해지면서 입사한 지 1년 이내에 '조기 퇴사'를 하는 사람도 많아졌다.

동아일보(2024년 4월 2일)가 커리어 플랫폼 잡코리아가 3월 6일~16일 직장인 981면을 대상으로 설문 소사한 결과를 보도했다. 응답자의 66.1%는 입사한 지 1년 안에 퇴사한 경험이 있었다. 이유로는 '더 좋은 곳으로 이직하기 위해서 34.9%라는 응답이 가장 많았다. 고용노동부와 한국고용정보원의 '2023년 하반기 기업 채용 동향 조사'에 자료다.

"매년 신규 입사한 대기업 직원의 평균 16.1%가 1년 내 퇴사하는 것으로 나타났다."

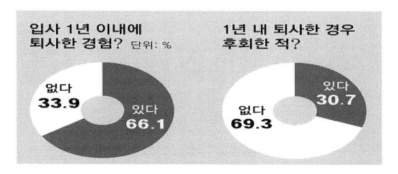

나는 안정적인 롯데면세점에서 다음 해에 승진이 불투명하여 이직에 성공하여 세계 초고가 보석 G 브랜드와 글로벌 D 면세점 한국 대표를 했다. 외국계 회사에 근무하면서 '아! 이제는 우리 대한

민국의 인재들이 글로벌 기업에서 충분히 경쟁력 있게 일할 수 있겠구나.' 하는 생각을 했다. 사실 그간 롯데면세점에서 해외 출장을 하면 호텔에서 한국 청년들이 근무하는 모습을 보았다. 지난해 퇴직 후 가족과 여름 휴가를 발리로 갔다. 거기에는 아예 처음부터 한국 고객을 담당하는 우리 청년들이 있는 것을 보고 뿌듯함을 느꼈다.

보통 글로벌 기업에 들어가려면 엄청나게 스펙을 갖추어야 할 그것으로 생각한다. 물론 일부 유명 컨설팅 기업처럼 높은 스펙을 요구하는 기업도 있다. 왜냐하면, 그들이 고객사들이 주로 우리나라의 대기업들이며 그들의 요구에 맞는 스펙을 가진 컨설턴트를 보내야 할 필요가 있기 때문이다.

"우리나라에는 2019년 기준 1월 기준 18,600여 개에 달하는 외국계 기업이 있다."

이들 기업은 사실 높은 스펙을 가진 사람보다 실제 업무에서 성과를 낼 인재를 찾고 있다. 지원자가 자신들이 원하는 분야에서 필요한 경험이 있다. 그간 참여했던 프로젝트에서 실제로 어떤 역할을 했고 얼마나 이바지했는지를 파악해 그의 실력이 검증되면 스펙과 상관없이 채용한다.

나도 글로벌 면세점에 한국 대표를 지원할 때 처음에 헤드헌터에서 '나이가 50살이 넘으면 지원 자격이 안 된다.'라는 부정적인 말을 듣고 실망했다. 그대로 물러설 수 없었다. 직접 찾아가서 적극적으로 나의 경험을 강조하기로 했다. 나는 국내 면세점에서 이미 다양한 국제 프로젝트 참여 경험을 했다. 당신의 회사가 한국에 면세점을 시작하기 위해서는 넘어야 할 관문들을 모두 알고 있다. 그들에게 나의 경험과 노하우를 요긴하게 쓰이리라 판단했다.

나의 상세 설명을 들은 헤드헌터는 듀프리 아시아 담당 사장과 조인트 벤처 한국 사장을 비롯한 관계자들과의 면접 기회를 만들어 주었다. 나는 롯데면세점에서 신규사업부문장으로 싱가포를 창이공항 면세점 입찰에 참여하여 세계적인 경쟁자를 물리치고 낙찰을 받은 것을 강조했다. 한국에서 관세청의 면세점 운영허가를 받으려면 어떻게 준비를 해야 하는지에 대한 핵심 내용을 언급했다.

면접관들도 만만치는 않았다. 나의 이야기를 들으며 세부사항까지 날카롭게 질문을 던졌다. 실제로 일을 해낼 역량을 가진 것인지 그냥 실무자의 보고만 받으며 일이 되는 것을 지켜만 본 것인지 확인을 하는 듯했다. 한 사람이 질문해서 내다 대답하면 다른 사람이 나를 관찰하고 있다는 느낌이 들었다. 피가 마르는 면접이 끝나고 며칠이 지나자 헤드헌터에서 연락이 왔다. 해이 본사 인사 담당 임원과 국제 전화로 인터뷰를 하라는 것이었다. 한 시간 이상을 그와 통화했다. 나는 결국 세계 1위 면세점의 초대 한 구 대표로 선정되었다.

글로벌 기업을 향한 도전을 얼핏 두렵다는 생각이 들 수 있다. 하지만 나의 실력 됨됨이로 공평하게 도전할 수 있는 장점이 있다. 나는 우리나라의 훌륭한 청년들이 이 좁은 곳에서만 진로를 찾지 말고 가감하게 세계적 기업에 도전하기를 진심으로 바란다. K-POP의 BTS는 이미 세계 최고의 아티스트로 인정받고 있다.

해외 기업에서 면접을 본다는 것은 상당한 스트레스가 따르고 원하는 회사의 상황을 철저히 분석하고 이해하여 향후 발전 방향을 고민히는 등 노력이 필요한 일이나.

대한민국의 후배들이여 당당하게 자신감을 느끼고 글로벌 기업 문을 두드려라! 될 때까지 두드려보라. 반드시 열릴 것이다.

06 영어의 벽을 넘는 법

4차 산업혁명 시대에 챗 GPT가 영어를 번역해 주지만 내가 영어를 제대로 배우지 못하면 챗 GPT가 주는 대로 잘못된 번역으로 문제가 될 수 있을 것이다.

얼마 전 큰 손녀가 유치원에 가야 하는데 유치원 인원이 없으면 영어 유치원이라도 가야 한다며 월 200만 원이라는 이야기를 듣고 나는 놀랐다. 아니 그 많은 돈을 들이고 어린아이들에게 영어를 가르치는 것은 좋을 수도 있고 역효과도 있을 수 있을 것이다. 독학 영어를 한 저에게는 그 많은 돈을 들이고 영어 유치원을 보낸다는 것은 좀 그랬다,

영어는 단순한 언어가 아니다. 영어는 내가 성공할 수 있는 기회의 언어이다.

나는 영문학을 전공했다. 가만히 굴곡의 지난날을 되돌아보면 영어는 변곡점의 조짐에서 내 인생의 새로운 기회를 열어주는 문이다. 나는 대학 졸업 후 대기업 취업 서류전형조차 불가했다. 영어를 통해 글로벌 기업 호텔에 취업했다. 1990년 롯데면세점에서 미국보석학회 유학도 갈 수 있었다. 영어를 통해서 새로운 기회를 영어 줄 사람을 만났으며 영어를 통해 삶의 위기에서도 생존할 수 있는 원천이었다. 인생의 갈림길에 섰고, 어디로 가야 할지 모라 당황하고 있을 때면 다시 삶의 도전을 받아들일 준비가 되는 무기가 되었다.

우리나라의 영어 사교육 지장 규모가 10조 원을 넘는다고 하니 영어 공부에 얼마나 많이 투자하는지 알 수 있다. 과연 영어의 벽을 넘으려면 어떻게 해야 할까? 나는 영어로 내 인생에 적잖은 도움을 받았으니 영어 공부에 대한 나의 경험과 생각을 공유하는 것이 조금이라도 영어로 받은 혜택을 나누는 것이리라.

"I wish I could tell you it gets better. But, it doesn't get better. you get better(상황이 좋아질 거라고 말해주고 싶은데, 그렇지 않을 거야. 대신 네가 더 나은 사람이 될 거야!)."

위의 문장은 '영어책 한 권 외워봤니?'의 저자 김민식 PD가 남미

- 99 -

파타고니아 트레킹을 하면서 하루 20킬로미터를 걸으며 힘들 때 보았던 '루이'라는 시트콤에 나온 대사라고 한다. 그는 그 대사를 "상황은 더 좋아지지 않는다. 그러나 포기하지 않고 버틴다면, 너는 더 낳은 인간이 될 것이다."하고 해석을 한다. 그리고 그 영어 해석을 영어 공부에 적용한다. 그는 해외연수를 가본 적도 없고 영어 학원도 다니지 않았으며 국내에서 독학으로 영어를 공부했다고 한다.

영어는 앞서 말한 대로 어린 시절 배우면 자연스럽게 영어가 익혀진다. 하지만 나는 영어를 책으로 영어 문법부터 배운 세대이다, 그래서 영어가 자연스럽게 되려면 문법부터 역으로 배우면 된다. 이렇게 하여 독학으로 토플 성적을 받아 1990년 미국보석학회 유학하러 갔다.

나는 이러한 김민식 PD의 경험을 100퍼센트 완벽하게 이해하며 공감한다. 집이 어려워 영어 학원에 다닐 수 없었던 나 자신도 정확히 그런 방식으로 영어를 공부하고 영어를 익히고 취업했다. 결국 1990년 간절히 꿈에 그리던 미국 유학을 다녀왔다.

이렇게 쉽게 이야기 해주면 사람들은 그냥 웃고 넘어가 버린다. 그리고 또 영어 학원을 찾아 등록하고 일주일도 못 가 포기해버리고 만다. 그렇다. 살아보니 실력을 갖추기 위해서는 단순해질 필요가 있다. 그냥 단순하게 계속 반복하면 실력이 늘었다. 하지만 사람들은 조금 더 대단한 비법들을 찾아 이곳저곳을 기웃거린다. 그리고 한 시간도 채 집중하지 못한다.

나의 두 딸은 외국계 회사에 근무하면서 영어가 필요하다. 주말에 한 시간씩 전화로 영어를 배운다. 한 시간에 5만 원이고 30회를 미리 지급한다고 한다. 그러면 한 번에 150만 원이 나간다. 안 하는 것보다 좋은 일이지만 30회를 하고 중단한다. 그러면 영어는 더 이상 늘지 않는다.

나의 영어 공부 비법 6가지!

1. 영어 문장을 직접 영어 문장의 형식이 어떻게 구성되어있는지 파악한다. 물론 그 전에 영어 문법이 완전히 숙지 된 상태야 한다. 그래야만 영어 회화도 무리 없이 가능하다.
2. 영어로 말하기를 스스로 습관화한다. 영어 회화 테이프를 들으며 그대로 따라 해본다. 영어로 듣고 말하는 것에 익숙해질 수

있다.

3. 영어책을 항상 끼고 산다. 밥을 먹을 때도, 교통수단을 이용할 때에도 항상 옆구리에 영어책을 끼고 다니며 수시로 영어 문장을 들여다본다. 영어가 그만큼 일상과 가까운 존재여야 한다.

4. 가급적 외국인과 대화하는 기회를 가져야 한다. 외국인들과 접촉할 기회를 의식적으로 자주 갖는 것이 좋다. 외국인 교회에 참석하거나 외국인 선교사와 영어 바이블 공부를 하는 것도 한 방법이 될 수 있다.

5. 타임지 읽기와 쓰기를 동시에 생활화하며 좋은 문장은 수없이 쓰고 일기를 반복한다. 영어 한 문장을 읽고 응용하여 쓰기를 반복한다. 단어를 많이 외운다. Vocabulary 22,000을 쓰며 외우며 단어를 골라서 문장을 만들어 본다.

6. 고급 단어를 외우며 다른 문장으로 여러 번 바꾸어 적용하며 소리 내 읽으며 여러 문장으로 응용을 해본다.

지금은 영어를 혼자 배울 수 있는 수단이 너무 많다. 아무래도 영어를 잘하는 사람에게 지도를 받으면 좋아질 수 있다. 하지만 영어는 오랜 시간을 습관화하고 호흡처럼 해야 실력이 늘게 된다.

PART 06

간절할수록
기본으로 돌아가자

01 실패 속에서 기적을 만든 '해리포터' 이야기

우리가 잘 아는 바와 같이 조개 내부에 모래 같은 이물질이 들어와서 보드라운 부위에 상처가 생기게 된다. 이때부터 조개는 스스로 내부 반응 때문에 아픈 부위에 수많은 분비물을 뿜어내어서 수많은 층이 쌓인다. 조개가 이물질과 오랫동안 차가운 바다에서 사투를 벌이다가 결국 마지막으로 형성되는 것이 영롱한 진주이다.

'상처가 없으면 아름다운 진주도 없다.'

아픈 부위를 스스로 혼자 말없이 고통을 견디면서 여성을 매혹하는 진주를 만든다. 작은 상처를 낸 모래알을 어떻게든 스스로 밖으로 내보낼 방법이 없다. 한 가지 방법은 자신의 체액으로 그 까끌까끌한 모래알을 수없이 감싸는 일밖에 없는 것이다.

매일 일보(2023년 11월 14일) 보도를 보면 갈수록 경영난에 직면한 기업들이 채용 규모를 축소하면서 청년 구직자들의 한숨이 깊어지고 있다. 학자금 상환 및 생활비 등 각종 경제적 부담을 떠안은 청년들이 취업 시장에 내몰리고 있다. 하지만 일자리를 찾기가 쉽지 않은 상황이라고 한다.

14일 업계에 따르면 대졸자들이 등록금 대출을 갚지 못해 발생한 학자금 체납액이 4년 전과 대비해 3배 가까이 늘어났다. 경제 활동에 참여하지 못할 청년들도 지난 5년간 400만 명대를 넘어선 것으로 나타났다.

해당 청년들이 경제 활동에 참여라지 못한 주요 이유는 '원하는 일자리를 찾기 어려워서'인 것으로 조사됐다. 10만 6000명의 청년이 맞는 일자리가 없어서 쉬었다고 했다. KDI 측은 '내년 취업자 수는 올해 32만 명보다 축소된 21만 명으로 실업률은 2.7%에서 3% 상승할 것이라고 했다.

'꿈꾸라! 그리고 상상하라!'

작가가 꿈이었던 '조앤 롤링'은 꿈 하나로 기적을 이루었다. 그녀는 수많은 어려움을 이겨내고 전 세계 수많은 사람이 사랑 '해리포터' 소설 작가가 되었다. 대학을 졸업한 후 직장에 취업하고 일하는 동안에도 그녀는 온통 소설 생각뿐이었다.
"그녀는 근무 시간에 늘 공상을 하고 있었다."
"근무 시간에 소설을 쓰다가 걸렸다니까요."

그러다 보니 들어가는 직장마다 해고되고 사랑에 빠져 결혼을 했지만, 주먹을 휘두르는 남편과 이혼하기에 이르렀다. 남은 것은 태어난 지 4개월 된 어린 딸뿐이었다. 결국 정신과 병원에서 심각한 우울증이라는 진단을 받았다.

그녀의 이런 실패와 성공 이야기는 힘겨운 시대를 살아가는 우리에게 한 가지 삶의 지혜를 준다. 실패도 성공을 위한 원동력이 된다.

자! 이제 여러분도 구직활동을 하다가 취업이 어려워도 좌절하고 두려워하지 않았으면 좋겠다. 처음부터 내가 원하는 기업에 들어가서 멋진 직장 생활을 꿈꾼다. 현실은 녹록하지 않을 수 있다. 그래서 일단 기회가 주어진 곳에서 먼저 세상을 경험하면 좋겠다. 힘겨운 스토리가 훗날 나를 단단하게 하고 내가 새롭게 도약을 하는 데 발판이 될지 어찌 알겠는가.

깊은 땅속에서 캐낸 초라한 돌덩어리에 불과한 원석이 힘겨운 연마 과정을 지나서 아름다운 빛을 발하는 다이아몬드가 된다. 또한 조개가 오랜 시간 동안 고통을 이겨내고 아름다운 진주로 만들어진다. 인생 역전의 스토리의 주인공 해리포터 시리즈를 쓴 그녀는 실직, 이혼, 실패, 우울증 등을 딛고 일어섰다.

20살에 갑자기 찾아온 무서운 손님, 치명적인 질병이 준 인생 선물!

당시 나는 힘겨운 재수 생활을 마치고 대학에 들어가서 캠퍼스의 낭만을 기대하며 꿈에 부풀어 있었다. '이제 대학생이 되었으니 미팅도 해보고, 마음에 드는 동아리 활동도 하며 좋은 선배들과 멋진 프로젝트도 해봐야지.' 하지만 현실은 나의 기대를 무참하게 짓밟았다. 낭만은커녕 생명의 위협을 받게 된 신세가 되었다. 20살에 갑자기 질병을 만나 미래를 알 수 없는 휴학을 했다.

고향으로 가기 전에 요양원에서 3개월 걸기 치료를 하고 시골 고향으로 돌아갔다. 가장 아름다운 청춘의 시기에 인생이 무너진 것이다. 지금은 결핵이라는 것이 질병이 거의 없고 발병을 하더라도 충분히 치료할 수 있는 병이다. 당시 결핵은 무서운 병이었다. 완치가 보장되지 않았고 결핵으로 사망하는 경우도 있었다. 그 여파로 나는 지금도 X레이를 찍으면 비활동성 폐결핵으로 나온다. 이것 때문에 군입대를 두 번씩이나 연장을 받았다. 그리고 남들보다 늦게 입대를 했다. 결국, 대학 졸업은 늦게 하는 원인이 되었다.

요양원에 혼자 고립되어 답답했다. 불안이 밀려왔다. 하루하루가 두려웠다. 피 끓는 스무 살 나이에 결핵이라니. 내 인생인데 내가 계획할 수 있는 것이 아무것도 없었다. '여기서 회복되어 걸어 나갈 수 있을까? 학교는 다시 다닐 수 있을까? 앞으로 나는 무엇을 할 수 있을까? 꼬리에 꼬리를 무는 걱정들이 나의 정신을 갉아먹고 있었다. 3개월 후 퇴원을 하고 집에서 많은 약을 복용하며 다시 힘겨운 시간을 보내야 했다.

이 힘겨운 휴학을 하면서 나는 영어 공부도 다시 하며 그간 읽지 못한 책을 읽으면서 아놀드 토인비 박사가 쓴 '도전과 응전'은 내 인생의 터닝 포인트가 되었다. 인생은 아무 일 없이 평탄하게 흘러가는 것이 아니라 누구에게나 어려운 순간이 찾아오기 마련이다. 이때 다시 도전하고 어떻게 응전하느냐가 중요하다는 사실을 깨닫게 되었다. 그리고 앞으로 살면서 어떤 문제가 발생하더라도 놀라지 않고 적절한 방식으로 대응하겠다는 결심을 했다.

여러분은 지금 어떤 상황에 처해있는가? 힘겨운 취업과 이직을 통해서 한 단계식 성장하며 직장인의 꽃, 역대 연봉 대기업, 임원과 최고의 명품 브랜드의 정직원이 되는 그날까지 정진하길 바란다.

02 미래를 위해 현재를 저당 잡힌 인생

농민신문(2024년 1월 31일) 보도에 따르면 지난 2월 졸업 앞둔 대학생 5명 중 4명 "아직 취업 못 했다"고 한다. 31일 잡코리아가 밝힌 자료를 보면 지난해 8월과 올해 2월 졸업 예정자 505명을 대상으로 진행한 '취업 성공 현황' 조사에서 2월 졸업예정자의 21.9%가 취업한 것으로 집계됐다. 지난해 8월 졸업자는 50.9%가 취업에 성공했다.

지난날 되돌아보면 대학 졸업 후 인생을 3가지 길이 있다.

첫째 취업을 통한 직장인의 길을 걷는다. 둘째 4차 산업혁명 시대를 살아가면서 직업의 다양성이 존재한다. 예를 들면 디지털 노마드가 대표적인 예이다. 셋째 온라인 창업이다. 넷째 지식 창업으로 프리랜서 등이다.

갈수록 산업 생태게가 오프라인에서 온라인으로 많은 그것이 이동하지만 아직도 졸업 후 기업에 취업을 원하는 비중이 큰 것을 보여준다. 저는 퇴직자 시니어로 온라인 창업을 했지만 34년 직장인의 길을 걸었다. 직장인이 좋은 것은 장단점이 있다. 먼저 장점을 알아보자.

첫째, 대기업의 예를 들면 매달 또박또박 급여가 통장에 들어온다. 이것은 누가 뭐라 해도 직장인의 가장 좋은 점이다. 기업은 20%가 80%를 이끌어 간다고 한다. 내가 일을 열심히 하지 않아도 월급날이 온다.

둘째, 기업은 직급에 따른 업문 분장이 있다. 직급에 따라 책임감이 달라진다. 직급이 올라갈수록 책임감은 막중하다. 특히 대기업 임원이 되면 많은 혜택이 주어지는 만큼 정말 책임도 비례하여 무거워진다. 회사의 한 부문을 책임지는 책임감이 강한 자리이다. 반면에 억대연봉을 받으면서 작은 경제적자립을 할 수 있는 터전이 만들어지는 멋진 자리이다.

직장인의 길에 경험은 훗날 내가 창업을 할 수 있는 자산이기도 하다. 나는 1990년 롯데면세점에서 세계적인 보석 티파니, 카르티에, 불가리, 반클리프앤아펠, 미키모토 등을 취급했다. 훗날 이것이 퇴직 후 온라인 주얼리 창업을 하게 된 소중한 콘텐츠가 된 것이다.

셋째, 대기업에 근무하면 극단적이 예를 들어서 이적 변화가 급격히 변해도 불안함이 없다. 어느 집단이나 조직에 소속되어 안정적인 보호를 받는다. 대기업에 다닌다는 것만으로도 정말 심리적으로 편안함 일상을 유지할 수 있다. 내부에서는 내부 승진을 위해서 치열한 경쟁을 하지만 기업의 목표와 비전을 이해서는 서로를 존중하는 따뜻한 마음이 통한다. 은퇴를 해보니 정말 조직에 있을 때가 조직 구성원 간에 정말 서로가 심리적인 울타리가 되었던 것 같다.

"직장인은 오롯이 기업의 성장을 위한 존재이며 기업의 발전을 위해 저당잡힌 인생이다."

대기업을 다니면 그만큼 여러 가지 좋은 환경에서 내가 누릴 수 있는 것들이 많다. 반면 그만큼 나의 인생의 많은 에너지를 회사와 조식의 발전을 위해 쏟아부어야 그만큼 승진을 하게 된다. 회사라는 명함 하나에 내 인생은 뒤에 숨어있다. 내가 직접 모든 것을 하지만 작은 명함이 나를 대신한다. 나는 급여를 받기에 내 인생이지만 선택권이 회사에 달려있다. 기업은 조직원 모두의 열정을 함께 이끌어 내야 하기 때문이다.

기업은 치열한 경쟁 속에서 끝없는 성장을 위하여 좋은 인재를 채용하고 비용을 들여서 교육하고 매달 급여를 주며 실적이 좋으면 많은 상여금을 준다. 나는 일상이 기업의 일정에 맞추어 파도를 따라가는 돛단배처럼 떠밀려간다.

때로는 늦은 업무와 회식으로 지친 몸을 이끌고 출근 시간에 맞춰 콩나물시루 같은 지하철에 간신히 끼어서 회사로 향한다. 급변하는 시대에 조기 퇴직의 바람이 불면서 직장인의 길도 퇴직의 시기를 미리 가늠하고 새로운 일을 준비해야 한다. 언젠가는 저당잡힌 인생을 마감한다. 퇴직 후 그 저당 잡힌 인생이 미래에 나를 다시 1인 창업가나 후리랜서 같은 인디펜던트 워커로 지식창업을 할 수 있는 새로운 평생 직업인으로 만들어주는 원천이 된다.

지금은 회식 문화가 줄어들어서 달라진 직장인의 문화다. 하지만 나의 직장인의 길을 되돌아보면 평일은 하루 24시간 중에 3분의 2는 직장과 퇴근 후 시간을 보낸다. 임원이 되면 주말도 회사의 업무를 위해 시간을 보낼 때가 있다. 하루 시간 중에 3분의 2를 직장을 위해 희생하며 살아간다. 직장인은 하루의 많은 시간을 가족보다는 나의 삶의 터전인 회사에서 보낸다.

생계유지를 만들어주는 직장도 중요하지만 나의 가족은 내가 직장에서 힘들 때 나를 격려해주는 가장 소중한 존재이다. 우리에게 평생 숙명처럼 존재하는 두 가지 관계가 있다. 가족과 회사이다. 새로운 시대에 직장인이라면 이 두 가지 관계를 어떻게 조화롭게 맺어야 하는 것도 숙제이다. 우리 인생은 모든 것은 시작이 있고 끝이 있고 사라진다는 것이다. 때로는 의식적으로 잠깐 멈춰 서서 그 사실을 즐길 줄 알아야 한다. 인생의 즐거움은 나의 태도에 따라 줄어들기도 하고 늘어나기도 한다.

지나온 32년 간의 직장인의 길을 되돌아보면 나는 가족은 가족이라는 이유 때문에 회사보다는 후순위였다. 회사와 가족을 적당한 우선순위에 재배치 하지 못한 것이 못내 아쉽다.

직장인으로 성공하려면 직급이 올가갈수록 순종할 마인드로 무장되어야 한다. 회사에 저당 잡힌 시간은 보석처럼 소중한 자산이된다. 직장인의 길에 경험한 것들이 훗날 제2의 인생 2막에 새로운 평생 직업의 길을 열어 줄 것이다.

02 작은 기회를 성공으로 만드는 '세렌디피티의 법칙'

나는 축구 경기를 좋아한다. 2002년 월드컵 경기를 두 자녀와 아내와 거의 모든 경기를 보았다. 축구 경기의 전율은 전반전에 실점했지만 결국 후반전 종료 5분 전에 새로운 역사를 만드는 경우가 종종 일어난다. 야구 경기 또한 경기에 끌려가다가 9회 말 투아웃에서 역전 승리를 하는 경우를 본다. 힘겨운 직장인의 길도 마찬가지이다.

"일단 어느 직종에서라도 들어가면 취업은 인생 절반의 성공이다."

4차 산업혁명 시대에 새로운 직업의 형태가 생겨나고 조기 은퇴가 바람이 불고 있다. 하지만 대학을 졸업하고 직장인의 길은 기업에서 또박또박 급여를 받으면서 내가 나만의 다양한 경험을 쌓는 것은 정말 인생을 보석처럼 다듬어 갈 수 있다.

최근 디지털 기술이 발달하여 특정 분야에서는 30대 임원과 40대 CEO가 탄생하는 시대이다. 하지만 보편적으로 저의 32년 직장인의 길을 되돌아보면 사원에서 대기업 임원까지는 20여 년의 시간을 지나야 한다. 기업마다 약간의 차이가 있지만 대체로 신입사원에서 3~4년 차에 승진이 된다. 입사 4~5년 차에 계장이나 대리가 된다. 9~10년이 되면 과장, 14~15년이 되면 차장, 19~20년이 되면 부장이 된다. 이후에 억대 연봉의 임원이 된다. 이처럼 대기업 임원이 되기까지는 오랜 시간이 지나야 한다.

대학 졸업 후 취업하고 나면 가족의 생계유지를 위해서 '연봉 인상' 등에 관심을 가질 수밖에 없다. 하지만 임원이 되기까지 연봉 인상은 물가 상승률 정도이다. 이처럼 직장인은 대기업 임원이 되기 전까지 정말 힘겨운 여정이다. 취업은 단거리 경기가 아닌 마라톤 경기와 같다. 기나긴 인생길에 그저 스쳐 지나가는 하나의 관문이다.

좋은 직장에 들어가서 대기업 임원이 되면서 급여가 통장에 들어오는 것을 보면 정말 직장인의 길이 꿈만 같아진다. 바로 요즈음 화두인 경제적 자유를 누릴 수 있기 때문이다.

살아가면서 행운은 보통 세 번이 온다고 한다. 누구에게나 이

기회를 성공으로 만들기를 원할 것이다. 권선복 지음 '행복에너지' 책에 행운을 성공으로 바꾸는 노력한 끝에 찾아온 우연한 행운을 말하는 '세렌디피티의 법칙'에 대한 글이 있다. '세렌디피티'는 의도하지 않았는데 얻게 된 행운이나 예상하지 못한 성공을 가리킬 때 쓴다.

18세기 영국 작가 호레이스 월폴이 페르시아 동화 '세렌디프 세 왕자'라는 내용에서 처음 유래된 이론이다. 다시 말하면 의도하지 않았는데 얻게 된 행운이나 예상하지 못한 성공을 가리키는 말이다. 대표적인 예가 아르키메데스가 목욕탕에서 밀도 측정법을 생각해 낸 것, 접착력 강한 풀을 만들려다 실패하고 나온 포스트잇, 배양접시 관리 소홀 덕분에 발견한 페니실린, 사과가 떨어지는 현상으로 중력의 법칙을 발견한 것 등이 있다.

과학계의 중대 발견 중 30~50%는 이처럼 우연한 사고, 혹은 세렌디피티의 순간에서 비롯됐다고 한다.

그런데 이 세렌디피티를 다른 사람보다 자주 만나는 사람이 있는가 하면 좀처럼 못 만나는 사람도 있다. 세렌디피티를 자주 만나는 사람을 '세렌디피티스트'라고 한다. '세렌디피티스트'들의 특징을 조사한 크리스티안 부슈의 저서 '세렌디피티 코드'에 따르면 이들은 예기치 못한 상황을 받아들이고 이를 기회로 활용하는 사람들이라고 한다.

살아가면서 일이란 원래 계획대로 되지 않는다. 늘 예상하지 못한 복병을 만난다. 세렌디피티스트들은 계획대로 되지 않는다고 해서 화내거나 포기하지 않고 이런 상황의 잠재적인 가치를 알아보고 행동한다. 열린 마음과 솔직한 채도, 유연한 자세를 갖고 있다. 또 많이 노력하기도 한다.

내가 만약 좋은 스펙으로 내가 원하는 기업에 들어가면 정말 행운이다. 하지만 대다수가 그렇지 않은 것이 현실이다. 취준생들은 자신의 미래를 멀리 내다보기보다는 눈앞의 '연봉', '복지' 등의 금전적인 조건을 따지곤 한다. 하지만 인생은 큰 경제 청사진 속에 나의 꿈을 녹여볼 필요가 있다.

시련은 어찌 보면 나와 시간과 싸움인지도 모른다. 어려움에 직면했을 때 그것을 인정하고 견뎌낼 자세가 되어 있지 않고 조급하게 자신을 패배한 인생이라고 단정 짓는 경우가 있다. 미식축구의 전설적인 감독 빈스 롬바르디도 "중요한 것은 쓰러지느냐 마느냐가 아니라, 다시 일어서느냐 아니냐이다."라고 했다. 다시 일어서서 힘든 여정을 견디다 보면 언젠가는 시련과 절망 또한 지나간다. '모든 것은 지나간다'는 말 속에 삶의 깊은 지혜가 있다.

큰딸이 취업이 전혀 불가능했던 당시에 아르바이트라도 시작을 하겠다고 다짐한 것은 지금 세계 최고의 잡화 브랜드에 정직원이 된 것을 보면 참 잘한 것이다. 그 당시에 아르바이트라고 취업을 포기했다면 어떻게 되었을까?

세상의 일이란 원래 계획대로 되는 경우가 많지 않다. 늘 예상하지 못한 복병을 만나기 마련이다. 대학 시절 졸업을 하면 어느 기업에라도 갈 것 같지만 갈수록 취업 전선의 현실은 어두워지는 전망이다.

내가 원하는 취업이 불가해도 화내거나 포기하지 말자. 생각을 바꾸고 행동을 하면 나쁜 상황을 좋은 결과로 만드는 '세렌디피티'가 될 것이다.

03 주얼리계의 별, 국제 보석 감정사

미국보석학회를 졸업하면 정식 명칭은 보석 감정사이다. 나는
1990년 롯데면세점에서 보석 담당 MD로 세계적인 보석 티파니,
불가리, 까르티에, 반클리프앤아펠 등을 최초 유치했다. 보석 오더
를 위해 해외 본사에 가서 상상을 초월하는 아름다운 고가격의 보
석을 보았다. 그리고 대한민국에서 최초로 다양한 최고의 보석을
취급한 장본인이다. 그래서 나를 '국제 보석 감정사'라고 자칭하기
도 한다.

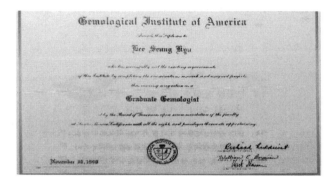

보석 감정사 자격증(90년 GIA.GG)

8캐럿짜리 다이아몬드를 담보로 맡기고 큰돈을 빌려 간 사람이
얼마 후 다시 찾아와 다이아몬드를 보여 달라고 하고는 교묘하게
그 다이아몬드와 서의 흡사한 모조품을 두고 갔다가 발각이 되어
사기 혐의로 체포되었다는 뉴스를 본 적이 있다. 다이아몬드 1캐
럿은 0.2그램의 아주 가볍고 작은 크기다. 요즈음 다이아몬드 가
공기술이 워낙 발달하여 이러한 작은 크기의 보석을 가짜로 둔갑
시켜 만들어 내면 일반인들뿐 아이라 웬만한 보석상들도 진위를
가려내기가 쉽지 않다.

보석 감정사는 이러한 보석의 진위를 가려내는 고도의 기술을 지
닌 전문가로서 보석 분야에서 세계적으로 인정받는 보석 교육기관
에서 보석에 대한 전문적인 감정 교육을 받고 일정한 시험을 거쳐
자격증을 획득한 사람을 말한다. 보석 감정사가 되기 위한 교육기
관으로는 미국보석학회((GIA), 영국보석학회(FGA), 유럽보석학회

(FGL) 등이 있다. 이중 미국보석학회가 가장 권위 있는 기관으로 인정받고 있다.

보석은 유통과정에서 어떤 감정사의 등급이냐에 따라 그 가치가 크게 달라진다. 세계 최고의 명품 보석 브랜드는 자체에서 보증서를 발행하기도 한다. 하지만 추급 과정에서 보석의 가치를 객관적으로 평가하기 위해 미국보석학회인 'GIA 감정서'를 주로 사용한다.

대한민국의 보석 시장은 명품 보석 시장과 일반 보석 시장으로 양분되어 간다. 예를 들면 결혼 예물로 다이아몬드 반지는 수천만 원을 주로 해외 명품 보석을 선호하는 층이 형성되어 있다. 그만큼 해외 명품 보석은 오랫동안 보석을 취급하며 그들만의 고유한 노하우를 갖고 있기 때문이다.

고가의 보석은 흔히 일상에서 착용하기가 부담스럽다. 자칫 흠이 나면 보석의 가치가 크게 떨어진다. 그래서 데일리 주얼리로 소위 '합성 보석'을 구입하여 착용하는 사람들이 많아지고 있다. 디자인 측면에서 패션 주얼리의 트렌디한 디자인과 하이엔드 주얼리의 클래식한 디자인을 결합한 브리지 주얼리도 인기를 끌고 있다.

향후 주얼리 시장에 관심을 갖고 있는 사람들은 이러한 분야에 도전해도 좋다고 생각한다. 특히 4차 산업혁명 시대에 SNS의 발달로 집에서 노트북 하나로 자유롭게 1인 기업의 형태로 사업을 할 수 있는 기반이 갖추어져 있다. 주얼리 분야에서도 창의적인 아이디어로 도전한다면 청장년들에게 좋은 주얼리 창업의 기회가 될 것이다.

주얼리 분야는 무엇보다 창의적인 아이디어와 섬세한 손기술이 중요한 요소이다. 세계 최고의 도자기로 손꼽히는 고려청자와 조선백자를 만든 선조의 후손들인 우리가 잘할 수 있는 분야인 것이다. 반도체, 자동차, 가전제품 등은 세계적인 브랜드가 탄생했다. 하지만 안타깝게도 아직까지 우리는 장신구 분야에서 세계적인 브랜드를 만들어 내지 못하고 있다. 우리의 젊은 인재들이 보석에 관심을 두고 지속적인 노력을 기울인다면 훗날 세계적인 명품 보석 브랜드가 나올 것이라고 생각한다.

보석은 상상과 판타지의 세계다. 인생을 살면서 많은 삶의 문제들을 직면하게 된다. 이처럼 먹고살기 녹록하지 않은 현실 속에서 보석은 우리에게 환상적인 아름다움을 제공한다. 보석이 건네준 아름다움을 경험하는 것은 사막에서 오아시스를 맛보는 것과 같다. 보석 감정사로서 이러한 상상력과 판타지의 멋진 세계를 보다 많은 사람들이 일상에서 경험할 수 있도록 하는 일들을 펼쳐보려고 한다

내가 보석 감정사 자격증을 갖추었기에 해외 기라성 같은 최고의 명품 보석 브랜드의 담당자와 보석 사업을 할 수 있었다. 이처럼 작은 부피이지만 수억 원, 수십억 원 이상의 보석을 취급하는 주얼리계에서 보석 감정사는 핵심적인 역할을 하는 별과 같은 존재이다.

내 남은 삶이 평범한 일상 속에서 자신의 고유한 빛을 잃어가는 사람들에게 '당신이 바로 보석입니다!'라고 외쳐주는 시간이 되기를 진심으로 소망한다.

04 승리는 패배를 통해 학습하는 자의 편이다

"97-75-71.4-2.8"

이 숫자는 인터넷 프로토콜이나 암호가 아니다. 실패와 관련된 숫자들이다. 사람이 새로운 행동을 하면 실패할 확률이 97%이다. 미국 벤처 기업들이 추자 받은 돈을 돌려주지 못하고 망하는 비율은 75%이다, 우리나라 자영업에서 창업 후 5년 만에 폐업한 비율은 71.4%이다. 마지막 2.8회는 성공한 사업가들이 창업에 도전한 횟수다. 이는 이형석 저자의 "창업의 비밀" 중 '실패이력서에 담긴 성공의 비밀' 부문에 나오는 말이다.

실패, 듣기만 해도 두렵고 가슴이 떨리는 단어다.

실패의 처절한 아픔을 경험하지 않고 사람들이 흔히 말하는 '꽃길'만 걸을 수 있다면 얼마나 좋겠는가. 하지만 성장 과정에서 늘 새로운 상황과 맞닥뜨려야 하고 선장의 단계마다 새로운 사람들을 상대한다. 기나긴 인생 여정에서 '꽃길'만 골라서 간다는 것은 거의 불가능한 일일 것이다.

직장인에게도 임원이라는 직급으로 올라갈수록 크고 작은 변수가 따른다. 2012년 초, 나는 롯데면세점의 마케팅 부문장으로 근무하고 있었다. 그런데 돌연 갑자기 해외 면세점 입찰을 전문을 전문으로 하는 신규사업 부문이 만들어지면서 내가 담당 책임 임원으로 발령이 되었다. 그동안 해외 입찰은 기획부문에서 해오던 터였다. 나는 입찰에 대한 정보나 경험도 전혀 없었다. 순간 갑작스러운 발령에 다소 어리둥절했지만, LA 공항 면세점 입찰이 얼마 남지 않아 발령을 받자마자 내가 1990년 미국보석학회에서 보석을 공부하던 LA로 다시 떠났다. 힘겹게 보석 공부를 하며 4번째 극적으로 실기시험에 합격하여 마음 한편에서는 힘겨운 시간과 즐거운 시간이 아련한 추억을 간직한 곳이다.

현지에 도착하니 상황은 최악의 상황이었다. 면세점 분냐 세계 1위 사업자부터 세계메이저 8대 면세점 사업자들이 참여하고 있었다. 그야말로 면세점 별들의 전쟁이었다. 그렇다고 상황만 탓하고 있을 수는 없었다. 해외 면세점 입찰 초기에 중대 한 일이 현지 상황을 가장 잘 아는 로비스트를 찾는 일부터 시직했다. 그래야 제안서를 제대로 작성할 수 있었기 때문이다.

당시 함께 일하던 로비스트는 나에게 "미스터 리(Mr. Lee)", 입찰 제안서를 보니 수백 페이지의 미국식 영어 제안서를 당장 만들어야 한다"는 것이었다. 머뭇거릴 시간도 없이 입찰에 대한 정보부터 파악했다. 미국의 입찰 조건은 국내와는 완전히 딴판이었다. 현지에서 면세점을 운영해야 하므로 현지 법인을 설립해야 하는데 단독법인이 아닌 현지 기업과 조인트 벤처 형태로 해야 했다. 미국은 사회적 약자 기업이 20%의 지분 참여를 해야 입찰 자격을 준다.

 그 외에도 8가지 항목에 대해 항목당 25점에서 100점을 배정하여 총 500점이 되어야 했다, 이런 복잡한 방식을 처음 접하는 나에게는 어느 것 하나 녹록한 것이 없었다. '이걸 해낼 수 있을까?' 하는 걱정과 불안이 엄습했지만, 누구에게도 티 내지 않고 그 순간의 일에 정신을 집중했다.

 무뎌진 영어 실력으로 원어민 컨설턴트와 소통하며 사업 계획서 초안을 작성했다. 향후 10년간의 손익 추성을 하며 현지 법인 설립 업무를 진행하는 등 숨 쉴 틈 없이 시간이 지났다. 결과는 갑작스런 발령으로 시작한 낯선 업무였지만 함께 했던 팀원들과 최선을 다했던 시간이었다. 결과는 예상대로 기존 LA 공항 면세점을 운영해오던 사업자가 낙찰을 받아 승리하였다.

 나는 패배의 결과를 받아들일 수밖에 없었다. 그동안의 노력이 물거품이 된 사실에 대해 아쉬움이 컸다. 나는 함께 최선을 다했던 팀원들을 위로했다. 이 싸움이 끝이 난 것은 아닐 테니까. 나는 첫 번째 해외 면세점 입찰 실패의 현장에서 많은 것을 배울 수 있었다. 면세점 입찰이 어떤 과정으로 이루어지고 무엇을 핵심적으로 다루어야 하는지 그리고 최종 승리를 위해 가장 중요한 것들이 무엇인지 내 나름의 교훈을 정리하는 소중한 기회가 되었다.

 이후 두 달 후 싱가포르 창이공항 제1터미널 패션 잡화 매장 입찰을 진행한다는 정보가 입수되었다. 이번에도 세계 1위 DFS를 비롯해 쟁쟁한 면세 사업자들이 참여했다. 나는 지난번 LA 공항 면세점에서의 실패 원인을 다시 한번 차분히 들여다보며 창이공항 입찰에 임하는 마음을 다잡았다. 지난번에는 내가 처음 경험해보는 일이라 공항 측에서 제시한 입찰 제안서의 내용도 중요 내용 위주로 보고를 받고 일을 추진했다. 이번에는 내가 직접 제안서 전체 내용을 샅샅이 살펴보며 내 나름의 전략을 세웠다.
 같은 실수를 반복하지 않도록 세부 내용을 구성하여 입찰 제안서를 제출했다. 물론 이제 겨우 두 번째 시도하는 입찰이고 세계의 내로라하는 기업들이 참여한 입찰전이라 안심할 수 없었다.

"이사님, 창이공항 면세점 입찰 성공했습니다."

"와! 만세! '하고 혼자 소리를 질렀다. 결국 힘겹게 입찰에 성공했다. 그리고 괌공항과 간사이 공항 입찰에 연속 성공하였다.

살다 보면 승부에서 지기도 하고 시도했던 일에서 실패를 하기도 한다. 여기서 중요한 것은 실패했을 때 과연 어떻게 대응하고 행동하느냐이다. 바로 이때의 자세가 인생의 성패를 결정한다. 패배한 사실에 압도되고 눌려서 자신을 이긴 상대를 원망하고 낙심하면서 비탄에 빠져 세월을 보낸다면 그는 다음 승부에서도 이미 패배를 예약하고 있다.

하지만 실패하고 패배했을 때 정신을 더 바짝 차리고 패배와 실패의 모든 과정 하나하나를 복기하면서 어떤 점에서 미흡했고 실수가 있었는지 명확하게 분석을 해야 한다. 그래야 다음에 자신에게 부족했던 점을 보완하기 위해 시간을 보낸다면 다음 승부에서 승리할 가능성을 한껏 높여 놓은 셈이다.

06 인생 2막, 온라인에서 새로운 직업을 만들다

"은퇴는 삶의 사이클 변화시키는 전환기"

뉴스토마토의 2024년 4월 6일 자 보도이다. 기업의 구조조정과 명예퇴직 바람으로 미국에서도 40~50대 은퇴자들이 늘어나면서 조기 은퇴자들을 위한 다양한 지침서와 웹사이트들이 큰 인기를 끌고 있다. 10~20년 전만 해도 은퇴라는 말은 '사회적 퇴장'으로 여겨졌다. 의학 발전으로 평균 수명이 늘어나고 있다. 경기 변동에 다른 기업의 합병과 해외 이전으로 인한 대량해고의 명예퇴직으로 청장년층 은퇴자들이 늘어나면서 은퇴의 의미도 변했다.

실제로 요즘 미국에서 은퇴는 제2의 인생, 제2의 직업을 위한 새로운 단계 전환의 의미로 받아들여지고 있다. 즉, 50대 중반 은퇴론은 인간 수명 60대 정도로 산정한 1900년대 초반의 계산법이기 때문에 평균 수명이 70~80세이고 100세 시대에 요즘에는 맞지 않는다고 주장이 강하다.

미국의 은퇴생애설계 전문가 리차드 J.라이더 박사는 "수십 년 다닌 직장을 그만두는 행위 자체를 은퇴로 볼 것이 아니라, 삶의 사이클을 새롭게 변화시키는 전환기로 규정해야 한다"고 말했다. 우리 사회는 대부분 영역에서 디지털 기술이 빠르게 발달하면서 직장인은 현업에서 퇴직자는 스스로 디지털 공부를 해나가야 한다. 4차 산업혁명 시대에 우리에게 당면한 과제는 시대의 트렌드를 파악하며 준비하는 사람이 새로운 기회를 잡아 수익 창출을 할 수 있다. 지금부터 당장 디지털의 변화를 공부하지 않으면 디지털 속도의 변화를 따라잡을 수 없고 뒤처지게 된다.

"버버리, 소셜 마케팅으로 역사를 이어가다."

여러분이 잘 아는 1856년 창업한 트렌치코트의 대표적인 영국의 명품 패션 브랜드 중 하나인 버버리(Burberry)의 새로운 변화이다. 1990년 후반부터 위기에 직면하였다. 버버리의 제품을 저가로 대량 생산되고 복제품이 홍수처럼 쏟아져 나오면서 브랜드 이미지가 퇴색되어 버렸다. 2001년 크리스토퍼 베일리가 크리에이티브 디렉터로 합류하면서 디자인적으로 혁신을 시도했다. 버버리는 디지털 마케팅과 소셜 미디어를 적극적으로 활용하여 젊은 고객층과 소통하였다. 예를 들면, 버버리는 업계 최초로 패션쇼를 생중계로 선보이고, 트위터와 인스타그램 등에서 새로운 컬렉션을 공개하였다.

"디지털에 진심인 디지털 네이티브, 알파세대가 온다!
'나다움'을 중시하고, '돈의 흐름'을 주도하는 잘파세대의 취향을 저격하라!

노준영 저자의 "알파세대가 온다" 책에 나온 말이다. 알파세대와 Z세대에 관한 다양한 사례를 통해 우리 각자가 처한 상황을 이해하고 해결하는 데 도움을 주고 있다. 우선 알파세대 자녀를 이해하지 못해 절절매고 있는 밀레니얼세대 부모에게 현실적인 해답을 제시한다.

또 기업에서 소비와 중심축을 제대로 파악해 비즈니스를 선도하고자 하는 실무자에게는 창의적인 아이디어를 제공한다. 조식을 관리하는 경영진에게는 미래의 조직 구성원들을 이해하는 팁을 제시한다. 그리고 알파세데와 Z세대에 비즈니스와 트렌드를 선도할 수 있는 세상을 바라보는 시선을 면밀히 제공한다.

지난 과거의 10년은 디지털 시대에 1년의 변화와 맞먹는 시대이다. 100세 시대에 나 같은 퇴직자 시니어라면 과거에 오랫동안 경험한 것은 쓸모없는 자산이 되었다. 다시 온라인 세상에서 '제로 세팅'이 되어 버린다. 새로운 디지털 기술로 조금씩 재무장을 해야 새로운 평생 직업을 가질 수 있다.

오프라인이 사회의 중심이지만 오프라인의 모든 정보를 온라인을 통해서 공유하는 세상이다. 그러다 보니 자연스럽게 디지털 기술의 변화를 미리 감지하고 준비를 하는 사람이 디지털 기술이 준 혜택을 빨리 누리는 현상이다.

나는 32년 직장인의 길을 아날로그 시대에서 보냈다. 직장을 다시 들어갈 수 없고 앞으로 30여 년을 어떻게 설계를 해야 할까 고민을 했다. 1990년 롯데면세점에서 취급한 세계적인 보석 취급 경험은 정말 누구도 따라올 수 없는 자산이었다.

나는 용기를 내어 주얼리 창업을 하고 가장 먼저 도전한 플랫폼이 인스타그램이다. 인스타그램은 1인 창업을 하고 나에 대한 정체성과 내가 팔려는 상품을 홍보하는데 좋은 채널이다. 특히 내가 판매를 하지 못해도 인플루언서를 통해서 판매할 수 있다. 인스타그램 공동구매는 내가 재고가 없어도 주문을 받고 대략 2주 이내에 배송하는 시스템이다. 블로그는 노출이 우선이기에 글을 쓰는 것이 중요하다. 하지만 인스타그램은 글보다는 간단한 사진이나 이미지가 우선이다.

막상 온라인 창업을 하려니 용기가 나질 않았다. 특히 다양한 SNS 기술을 잘 다뤄야 하는데 4차 산업혁명 시대 문턱에서 마치 왕초보가 된 신세였다. 하지만 먼저 인스타그램을 연습하고 배워가며 온라인 주얼리 창업을 했다. 온라인 창업을 하려면 온라인 마케팅은 선택이 아닌 필수가 되었다.

이제는 AI 자동 시스템이 발달하여 마케팅도 자동화 단계에 왔다. 처음부터 완벽하게 시스템을 이해하기는 불가능하다. 디지털 기술의 기본적인 알고리즘을 이해하고 온라인에서 새로운 제2의 꿈을 펼칠 수 있다.

누구든지 디지털 세상에 뛰어들어 새로운 직업을 만들어 갈 수 있다.

자신을 가장 잘 아는 사람이 최고가 된다

우리는 대학 졸업 후 대다수는 30년을 직장인이 길을 보낸다. 그리고 100세 시대에 다시 퇴직자로 30여 년을 자영업을 하거나 저의 경우처럼 1인 온라인 창업이나 지식 창업 등을 하며 보낸다. 이처럼 인생의 많은 부분을 이런저런 형태의 일터에서 삶을 영위해 나간다.

커리어 플랫폼 잡코리아가 2024년 3월 6일에서 16일 직장인 981명을 대상으로 설문 조사를 했다. 한 직장에서 5년 이상 근속한 경험이 있는 사람은 전체의 36.9%에 그쳤다. '어쩌다 보니 이직 기회를 놓쳐서가 35.5%로 가장 많았다. 잡코리아 관계자는 "요즈음 이직을 커리어 관리를 생각하는 직장인이 늘면서 더 좋은 회사로 옮기려는 움직임이 활발해지고 있다고 설명했다. 나 또한 32년 직장인의 길에 5번을 이직했다.

아침마다 때로는 지친 몸을 이끌고 사랑하는 가족을 떠나서 서둘러 각자의 '일터'로 간다. 그리고 하루 대부분 시간을 모든 에너지를 일자리에 헌신한다. 생계유지를 위한 일터의 정도에 따라 나를 바라보는 시각이 달라진다. 당신의 신분을 나타내주는 연봉 정도에 따라 삶의 질이 좌우된다.

작은 것은 달성하기 쉽다. 엄청난 것을 만들려면 아주 작게 시작하라.

코로나19 이전에는 오랫동안 산업 간에 경계가 분명하고 업무 범위가 명확하게 정해져 있었다. 좋은 환경을 가진 사람들에게 좋은 일자리를 보장해주는 듯했다. 하지만 처음부터 내가 바라는 대로 계획한 대로 나아가지 못한다고 해서 나락으로 떨어지는 것만은 아니다. 더 중요한 것은 마음의 근육이 단단하면 아주 작은 단계에서 일단 시작하면 절반의 성공이다는 것이다. 어느 상황에서든지 일할 수 있는 일터가 정해지면 작은 체험을 통해서 마침내 큰 성공까지 일궈낼 수 있다.

인생에는 두 가지 패턴이 있는 것 같다. 처음부터 큰 곳에서 시작하는 삶과 작은 곳에서 시작하는 삶이다. 좋은 여건이면 큰 곳에서 시작하고 그렇지 않으면 나에게 맞게 작은 환경에서 출발하면 된다, 작은 성공 체험이 나 자신을 스스로 믿게 하여 내가 큰 사람이 될 수 있다. 역으로 보면 작은 곳이 오히려 큰 곳을 향한 첫걸음이다.

시대가 급변하고 경제가 어려질수록 5년 뒤, 10년 뒤 내가 어떤 직장에 있을지는 자신도 예측할 수 없다. 인쿠르트(2023.11.9)에 의하면 국내 기업 인사담당자 290명을 대상으로 '헤드헌팅을 통한 채용 동향'을 알아보기 위해 설문 조사를 했다. '53.1%가 헤드헌팅으로 인재를 채용해봤다'라고 했다. 이직을 시도해본 적이 있다는 직장인은 55.9%에 달했다.

살아가다 보면 내가 스스로 만들어 낸 '남들보다 뒤처지고 있다'라는 부정적인 생각을 버리는 것이 필요하다. 개인적인 성향이나 내가 가고자 하는 기업들의 특징을 미리 잘 파악하는 것이 전체적인 커리어를 쌓는 것에 유리하다. 그것이 성공하는 지름길이 될 수 있다. 설령 내가 원하는 곳에 들어가시 못해도 가장 낮은 곳에서 징검다리 전략으로 최고의 기업에서 내 자리를 만들어 낼 수 있는 플랜B를 짜면 좋겠다.

대학 졸업 후 첫 직장은 매우 중요하다. 처음부터 꼭 대기업에 들어가면 좋겠지만 그것이 인생에 전부는 아니다. 취업에 대한 전반적인 것을 준비하기 전에 먼저 나 자신을 그대로 분석을 해야 한다. 그렇지 않으면 다가온 기회를 놓칠 수 있다. 나의 직업에 대한 가치관을 여러 가지 형태로 고민해 보면 좋겠다.

지난 100여 년 동안 세상은 '생산자 시대'인 제품 경제 시대가 우선이었다. 이제는 비대면 라이프 스타일로 급격히 변하며 '소비자 시대'라는 새로운 패러다임 전환 시기를 맞이하고 있다. 코로나19 위기 상황으로 인해 우리의 일상이 디지털 세상으로 이동을 하고 있다. 비대면 비즈니스가 빠르게 확산하면서 '뉴노멀(New Normal)'로 자리를 잡으면서 직업을 하나만 가지고 사는 것이 정답이 아닌 세상이 되었다.

다윈은 "결국 살아남은 종은 강인한 종이나 지적 능력이 뛰어난 종이 아니다. 변화에 가장 잘 적응하는 종이다"라며 변화에 대한 적응의 중요성을 강조했다.

빠른 속도로 다가온 4차 산업혁명은 산업 전반에 걸쳐서 근간을 흔들고 있다. 2024년 3월 17일 여신금융협회에 따르면 전업 카드사 8곳의 카드 모집인 수는 2019년 말 기준 1만 1382명에 비하여 5433면으로 52.2%가 줄었다.

 디지털 시대에 나를 살릴 수 있는 핵심 역량을 잘 살린 경험을 쌓는 것에 의미를 두고 첫 직장을 선택하길 바란다. 그러면 취업의 문은 활짝 열린다는 것을 기억해주면 좋겠다. 비록 내가 정직원으로 취업이 불가하더라도 아르바이트생으로 입사하여 실력을 키우면 결국 좋은 기업에 정규직으로 들어갈 수 있다.

 인공지능(AI)과 챗 GPT 등 새로운 기술의 속도가 우리 사회 깊숙이 뿌리를 내리면서 새로운 직업이 뜨고 사라지는 직장이 생기면서 혼돈의 시대이다. 아무쪼록 취업이나 이직을 준비하는 여러분들에게 이 책을 통해 시행착오를 줄이면서 건강한 미래를 설계하면 좋겠다.

불굴의 의지로 이룬 다이아몬드 드림

발행 | 2024년 05월 02일
저자 | 이승규
펴낸이 | 한건희
펴낸곳 | 주식회사 부크크
출판사등록 | 2014.07.15.(제2014-16호)
주소 | 서울특별시 금천구 가산디지털1로 119 SK트윈타워 A동 305
호
전화 | 1670-8316
이메일 | info@bookk.co.kr

ISBN | 979-11-410-8328-1

www.bookk.co.kr